大丈夫、つまずいた数は
あなたが進むと決めて動いた
勇気と決断の数です。

# 「どん底」でも折れない人、しなやかな人

巻頭チェックテスト

タイプ別

# あなたの「どん底」からの抜け出し方は？

テスト作成：齊藤 勇（立正大学名誉教授）

どこか物足りない、人と比較してしまう、イライラする……。
あなたは、どんな行きづまり方をしやすいタイプでしょうか？
また、その「どん底」からの抜け出し方は？
次のテストをスタートから始め、矢印の指示通りに進んでください。

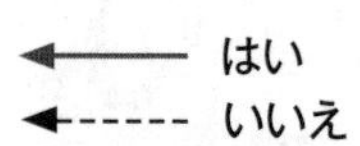

歳をとることを怖いと思うことがよくある

何かを始めてもすぐに飽きてしまい、中途半端で終わることが多い

5年後、自分は何をやっているだろうとよく考える

衝動買いをしてしまうことがよくある

さいとういさむ●1943年、山梨県生まれ。心理学者。『思いのままに人をあやつる心理学大全』（宝島社新書）など、著書多数。

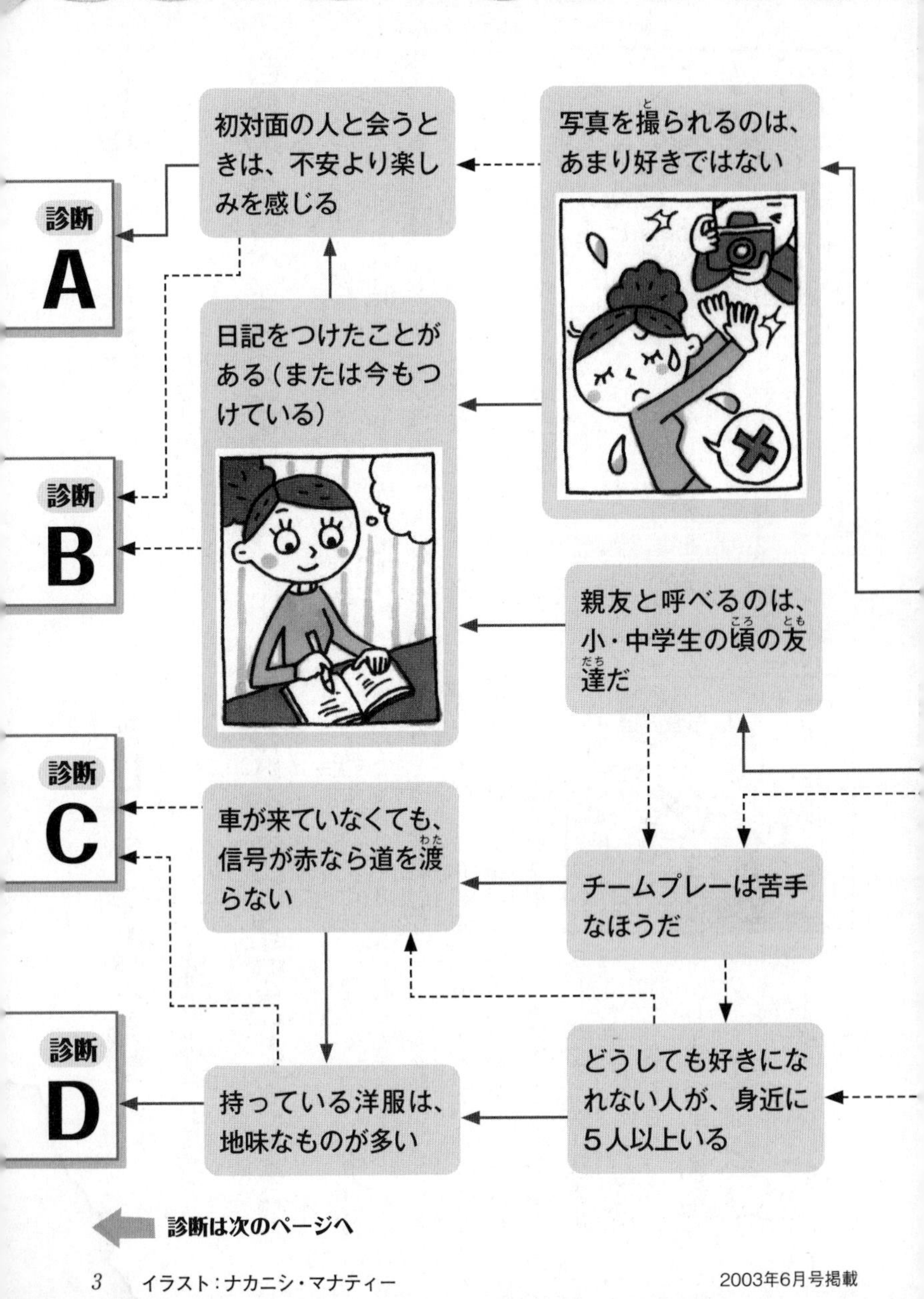


診断は次のページへ


イラスト：ナカニシ・マナティー

2003年6月号掲載

診断 **A**

## 青い鳥タイプ

理想を追い求めがち？

# 自分のやるべきことをやろう

あなたは理想が高いタイプ。「今の自分は本当の自分ではない」と考え、もっといい環境や、やりたいことがあるはず……と悩んでいるうちに、行きづまってしまいがちです。

夢を追うことはよいことですが、現実から目を背けていては、充実感を得ることはできません。

まずは今置かれている環境に感謝し、自分のやるべきことをきちんとやりましょう。

あなたの求めている青い鳥は、すぐそばにいるかもしれません。

診断 **B**

## シンデレラタイプ

他人に甘えているのかも

# まわりの役に立つことをしよう

今の生活が、どこか物足りなく感じているあなた。それは誰かが手を貸してくれるのを当然だと思い、なかなか自分から行動を起こさないところに原因があります。

王子様を待つシンデレラの気分でいるのはやめて、今度はあなた自身が王子様のように、まわりの人のためにできることを考え、実践してみましょう。

誰かのために動くことこそが、あなたをひと回り成長させ、大きな満足感につながるはずです。

## 診断 C　クモの糸タイプ

リフレッシュが必要

### 自然の中で心をほぐそう

あなたは少々感情的な性格。時に冷静さを失ってしまい、トラブルを呼び込んでしまいがちです。

クモの糸のように複雑に絡み合った人間関係に巻き込まれ、身動きがとれなくなることも多いのではないでしょうか。

疲れた心身を癒やすには、自然の中に行くのが一番。都会の喧騒を離れ、リフレッシュしてみましょう。

緑を見ながら深呼吸をすれば、英気を養えるはず。元気を取り戻していきましょう。

## 診断 D　リュックサックタイプ

嫌なことも背負い込みがち

### 行動をガラリと変えてみよう

あなたは他人の目を気にしてしまうタイプ。「人によく思われたい」という気持ちが強く、嫌なことがあっても、リュックサックのように、すべて背負い込んでしまうようです。

まずは、その重たいリュックをおろしましょう。そして、思い切ってファッションやライフスタイルをイメージチェンジ！　今までの自分とは行動をガラリと変えてみましょう。

新しいことに挑戦すれば、気分も晴れ晴れします。景色が変わるはずです。

巻頭インタビュー

# 「ゆっくりと一歩」で生きる

自分の気持ちに正直に、無理せず生きれば、「いいこと」は必ずやってきます。

里見浩太朗(さとみこうたろう)
●俳優

取材・文　辻 由美子

私はもともと楽観主義者、苦労を苦労と思わない性格です。ただ、八十四年も生きていれば、心が折れる経験も何度かしています。

そのひとつが戦争体験です。おやじは近衛連隊の軍人でしたが、私がまだ赤ん坊のとき、中国で戦死しています。おふくろは兄と私をつれて、静岡の富士宮に疎開しました。私が小学校三年生のときです。

## 不自由のない生活が、幸せかどうかはわからない

疎開先は、おふくろの実家でした。そこには、祖父母とおじさん夫婦、従兄弟たちの七人家族が住んでいました。実家とはいえ、居候ですから、肩身が狭い。庭に生えている柿やみかんも、先に食べるのは、いつも従兄弟たち。食事も最初は一階でみんなで食べていましたが、いつのまにか、私たち家族だけ二階で食べるようになりました。食料難の時代だったので、食べ物をめぐって、ぎくしゃくしたことがあったのかもしれません。

あるとき、おふくろが二階でしくしく泣いている。どうしたのかとたずねると、「配給のお米がなくなったの。だけど、おばあちゃんが分けてくれた」と言うんですね。おばあちゃん、つまりおふくろの母親が娘のために、自分たちのお米をそっとエプロンに隠して持ってきてくれた。そして、おふくろの空っぽの米びつに入れてくれたのだそうです。

「ありがたや」と言って泣くおふくろの横で、小学生の私も一緒に泣いていました。居候の身の情けなさや、おばあちゃんの愛情のありがたさ。そして、今まで見たことがなかったおふくろの泣き顔に、いろいろな感情が押し寄せてきて、涙が止まらなかったのを覚えています。

今の子どもは何不自由なく暮らしている。お金さえ出せば何でも手に入ります。でも、不自由のない生活が幸せかどうかはわかりませんよ。小さいときにつらい生活を経験し、おふくろの涙を見て育った私は、ちょっとやそっとのことではへこたれなくなりました。あの経験のおかげで強くなれたのですから、大変な時代を生きたことを、今では感謝しているくらいです。

戦後、おふくろは女手ひとつで私と兄を育ててくれました。縫い物の内職をしたり、行商に出たり。明るい人でしたが、よく「肩がこる」「腰が痛い」とこぼすこともありました。兄が勤めに出るまでの数年間は、本当に苦労をかけていたと思います。

## いい出会いが、人生を好転させる

私は子どものころから歌が好きで、NHKのど自慢に出場したこともあります。「歌手になりたい」という淡い願いもありました。でも、夢のまた夢です。

それより安定した職である銀行員になって、おふくろを安心させるのが、一番の願いでした。そのために一生懸命勉強し、そろばん二級と簿記三級の資格も取りました。それなのに、銀行の採用試験の際、はっきりこう言われたのです。

「両親がそろっていないから、君はダメだね」

銀行員になる夢が、そこでとざされてしまいました。

私にとって、初めての大きな挫折でした。でも、父親がいないのは私のさだめ。自分の運命をうらんでもしかたありません。とにかく一生懸命、目の前のことをやっていけば「いいこと」もあるだろう、と気持ちを切り替えました。

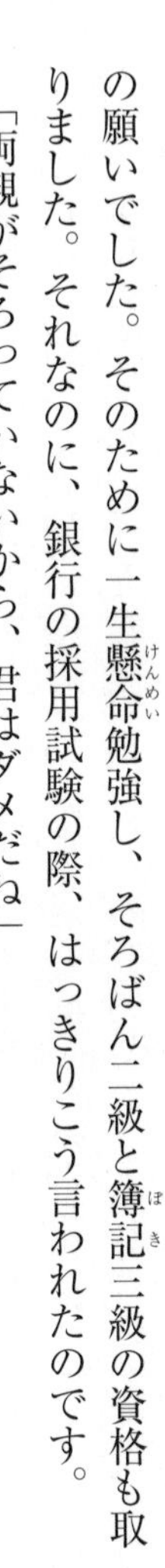


銀行員にはなれませんでしたが、築地の魚河岸で仲買人をしているおじさんの会社に入社できました。この会社に入ったことが、私の運命を大きく変えることになったのです。

ある日、突然、東映からニューフェイスの試験通知が届きました。仕事先の会社の重役のお嬢さんが、私の写真を無断で東映のニューフェイス募集に送っていたのです。

歌手になるならともかく、俳優なんて、考えたこともありません。

　でも、重役のお嬢さんはすました顔で「何事も経験よ、経験。試験をお受けなさいよ」と言います。お嬢さんに背中を押されて、東映の試験を受けてみることにしたのです。

　試験会場に行くと、そこはこの世のものとも思えないほどの美男美女であふれかえっていました。私みたいな田舎者は場違いだと思って、緊張して会場をうろうろしたことを覚えています。自信はまるでなかった。それなのに、なんと合格してしまったのです。

　合格後は、東京で現代劇をやるか、京都で時代劇をやるかを選ばせてもらい、私は京都に行くことにしました。京都のほうが、東京よりも家賃が安いから、と

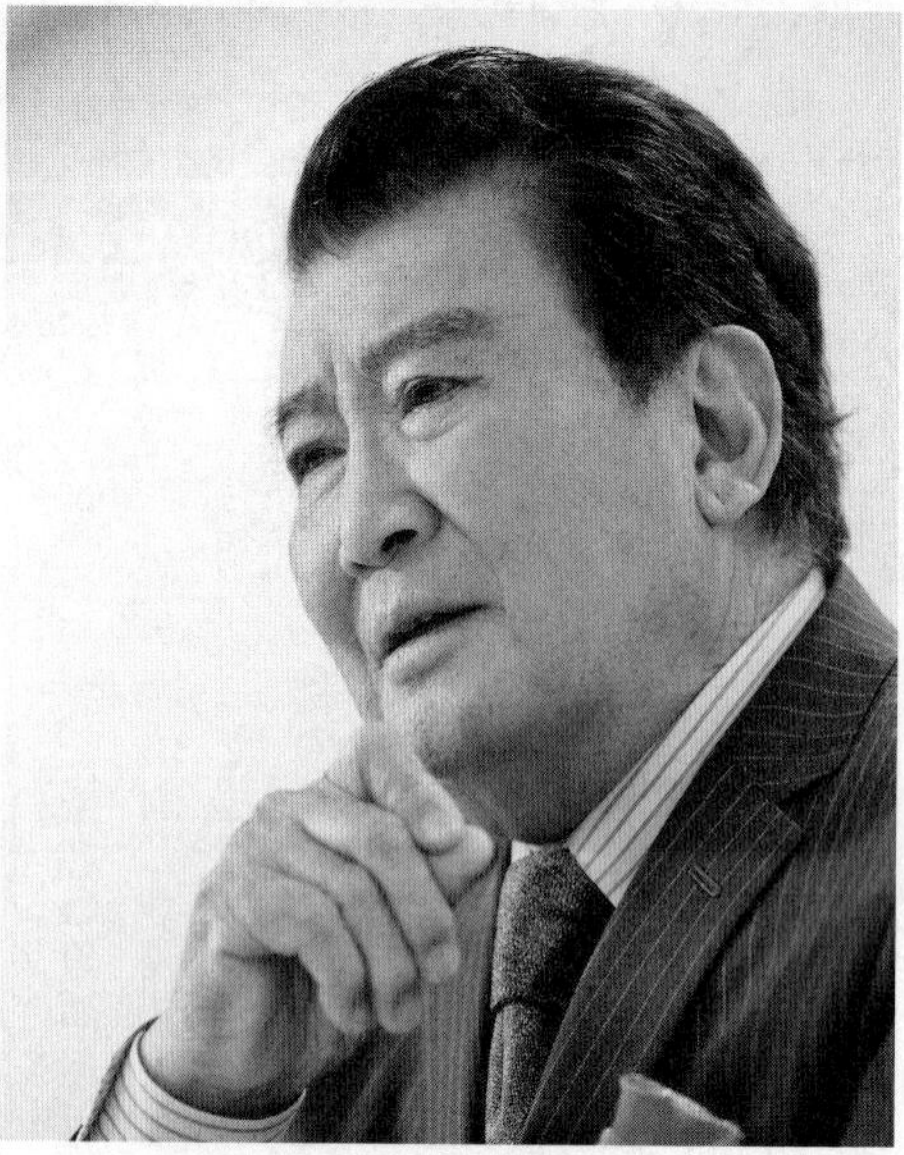

1936年、静岡県出身。'56年、東映第三期ニューフェイスとして芸能界入りし、翌年に映画「天狗街道」でデビュー。数多くの東映時代劇に出演し、その後はテレビ時代劇に進出。「水戸黄門」「大江戸捜査網」「長七郎江戸日記」「忠臣蔵」「リーガルハイ」など代表作は数え切れない。3月4日から名古屋・御園座三月特別公演「水戸黄門 〜春に咲く花〜」を上演する。

いう安易な考えから決めたことでしたが、次第に時代劇のおもしろさに魅せられていきました。司馬遼太郎さんら、学生時代に読んだ方の作品を演じることができるかもしれない——。そう思うと、とてもワクワクしたんです。

しばらくは大部屋でエキストラの出演ばかりで、下積みの日々が続きました。それでも「これは勉強だ」とがんばってやっていたら、ある日、チャンスがまわってきました。

お盆に上演する東映オールスター映画「水戸黄門」で、将軍のわきに座る小姓役に抜擢されたのです。それまで私は、その他大勢の侍役で、一番はしっこに座っていました。でも、そのときは助監督がやってきて、私に「小姓役をやってくれないか」と声をかけてくれたのです。

将軍の姿がアップになるたびに、わきの私の顔も映ります。「あれは誰だ」と評判になって、翌年、映画の主役がまわってきました。

あのとき、お茶目なお嬢さんが東映に応募しなかったら……。助監督が私に目をとめてくれなかったら……。今の私はなかったわけです。人生は出会った人によってつくられるのだと思います。彼らには感謝の言葉しかありません。

## 無理はしない、自分を大切にする

その後、おもに映画の時代劇で活動していましたが、やがて映画業界では時代劇が衰退して、ヤクザ映画が主流になります。

私にも「ヤクザ映画にでてくれないか」というオファーがきました。けれど、背広を着て、鉄砲を撃つヤクザの役にどうしてもなじめない。「自分は時代劇がやりたい。納得のいかない役はできない」とプロデューサーに直談判しました。ヤクザ映画への出演を断ると、当然仕事がなくなります。出番がない時期が続いた三年ほどは、本当につらかったですね。

仕事がない間は、映画館や試写会に通い、何本も映画を観て、作品や演技を勉強しました。同期が活躍する姿に悔しさを覚えましたが、それでも自分の思いは変わらなかった。

「無理はしない、自分の気持ちを大切にしよう」

そう決めたときにやっと、気持ちが楽になりました。

折しも、時代は映画からテレビに移り、テレビで時代劇の人気が出てきました。私にもまた、チャンスがまわってきたのです。「水戸黄門」の助さん役に選ばれて、その役を十六年続けるなど、時代劇で活躍できるようになりました。

二〇〇二年からは水戸黄門役を演じることになり、九年続けました。今年は名古屋の御園座の舞台で水戸黄門役をつとめます。映画から始まって、テレビ、舞台と、水戸黄門には不思議な縁を感じます。

時代劇には壮大な夢とロマンがあります。日本テレビの年末時代劇スペシャルで「忠臣蔵」の大石内蔵助を演じたとき、若い頃に役をもらえなくて悩んだ時代のことが頭を駆け巡りました。

「好きなものを信じて進んできて本当によかった」

大石内蔵助として大勢の俳優の前に立った瞬間、誇らしい気持ちで胸がいっぱいになりました。

振り返ってみると、私の人生は「無理せずに生きてきた」につきるのではないでしょうか。ときには遠まわりになっても、自分のペースで、ゆっくりと一歩、進んできました。それが今につながっているような気がします。私の中で「ゆっくりと一歩」は座右の銘になっています。

何か逆境にあっても、「自分は自分」でゆっくり進めばいい。そうすれば必ず「どん底」から抜け出して、「いいこと」が待っている。自分の人生を振り返って、そう思います。

里見浩太朗さんの

## 折れない心の秘訣

- 出会った人に感謝する
- 好きなものを信じる
- 自分のペースでゆっくり進む

PHPプレミアム

# 「どん底」でも折れない人、しなやかな人

## 凹んでも、強くなれる！

# 「今」を前向きに生きる

連載

表紙写真● Agence Phanie ／アフロ
表紙デザイン●上田舞乃／上田晃郷
本文デザイン●（株）ワード（佐藤紀久子）
P17、P53、P111 本文イラスト●瀬川尚志
P34-37、P70-73 本文イラスト●荒井佐和子
P46-50、P82-86 本文イラスト●西脇けい子




『ＰＨＰ』誌は、「心の悩み」や「生き方」を考える総合誌として、毎号さまざまな角度からテーマを設け、制作をしております。これまで『ＰＨＰ』誌に掲載された記事のなかには、「どん底」でも折れない心を持つためのヒントがありました。反響のあったインタビューやエッセイ、専門家からのアドバイスを中心に選りすぐり、さらに新しい原稿を加えて、増刊号『ＰＨＰプレミアム』としてお届けします。

この増刊号は、『ＰＨＰ』『ＰＨＰ増刊号』に掲載された記事に新たな原稿を加えて再編集しました。再録記事の本文・肩書きおよび年齢については基本的に掲載時のままです。

# 凹(へこ)んでも、強くなれる!

明けない夜はない。
あきらめなければ、
道は必ず開けます。

# 自分自身の幸福を探す

少し立ち止まって、自分の幸せを見直す。
そうすれば、新しい生き方がみつかりはじめます。

山田太一（やまだたいち）●脚本家

2012年3月号掲載
取材・文　網中裕之／写真　御厨慎一郎

二〇一一年三月十一日、私は自宅のテレビの前で、ただ茫然とその光景を見ていました。まるで特撮映画のように流される車や家。波が引いた後に残された無残な有り様。自然の無慈悲と容赦のなさ。それは、感情や倫理を超えている世界の出来事でした。

人間は、努力さえすればすべてのことが可能になる。科学の力で、自然さえもコントロールできるようになる。そんな万能感に、私は昔から違和感を持っていました。どうしようもないこと。人間の力や知恵では敵わないこと。そういうものは厳然として存在しています。しかし、日本の社会は、それを忘れたがっていたように思います。

人間には、それぞれに生まれ持った個性があります。背の高い人もいれば、低い人もいる。記憶力が優れた人もいれば、なかなか覚えられないという人もいます。親も違うし、育つ環境もさまざまです。いくら私が努力をしたところで、木村拓哉さんみたいに格好良くはなれません。それぞれが宿命を背負ってこの世に生まれてくるのです。

## 人間は可能性の塊ではない

人は、「努力をしなさい」と小さい頃から言われ続けてきます。夢を持って努力をすれば、それは必ず叶うのだと。でも、人間とは、そんな可能性の塊ではありません。どんなに努力をしても、必死になってがんばっても、どうにもならないことがある。物事がうまくいかない人に対して、「うまくいかないのは君の努力が足りないからだ」と責めてしまう。努力しないからダメだというその考え方が、不当にたくさんの人を傷つけているように私は思うのです。

だからといって、あきらめたり投げ出したりしていいというわけではありません。努力をすることは、もちろん大事なことです。

ただし、その結果がどうであろうと、その人の価値は何ら変わることはない。ただ、自らを責めてはいけないということです。あの大きな津波のなかで、いくら必死に生きようと努力をしたとしても、どうにもならなかった人たちがたくさんいるでしょう。亡くした親族や友人のことを、簡単にあきらめることなど絶対にできない。あの光景を忘れることは一生できないかもしれません。でも、生かされた人たちが自分を責めてはいけない。けっして誰かのせいじゃない。

「南無阿弥陀仏」とさえ唱えれば、誰もが成仏できる。そう言ったのは親鸞聖人でした。この考え方は、人間にはどうにもならないことがあると認めることだと私は思います。あるいは四国巡礼では「同行二人」という言葉があります。たとえ一人で旅をしていたとしても、常に隣には弘法大師が一緒に歩いてくれている。あなたは独りきりではないのだと。

人間は不平等のなかに生きています。不得手なことやマイナスの条件を抱えながら生きている。運命という、どうにもできないこともある。それらをすべて自

分一人で引き受けることは、相当つらいことです。その苦しみの半分は、何ものかに背負ってもらえばいい。自分だけを追い詰めないでほしい。たった一人で、人生の荷物の全部を持とうとするのは不自然なくらいだと思います。

あの日、私はテレビの前に立ち尽くしながら、不謹慎にもある思いがよぎりました。「ああ、これが戦争でなくて良かった」という思いです。もしも、これが戦争であれば、翌日もまた次の日も、同じような光景が新たに生まれてくる。東北地方ばかりでなく、日本中が瓦礫で埋もれてしまう。そして若者たちは、否応なく敵地へと駆り出されていく。それだけはしてはいけない。私のように戦争を経験した世代の人たちは、同じような思いを抱いていたかもしれません。

オーストリアの詩人、リルケの作品に『マルテの手記』があります。リルケが二十八歳のときの作品で、そこには青春の深い葛藤があります。人生とは何か。生きるとはどういうことか。愛とは何か。働くことの意味とは……。彼はその真実に迫ろうとしたのです。しかし、それらはすべて先人たちによって答えが出されています。何世紀も前から人間はその答えを探し続け、さまざまな答えを提示している。ならば今さら自分が何かを書く意味などない。

しかし、リルケは考えました。たしかに生きる意味については多くの書物に記されている。でも、はたしてそれだけが真実なのか。そうじゃないかもしれない。もしもそうじゃないとしたら、自分はまだまだ書く意味があるのではないだろうか。そんな思いが『マルテの手記』にはみずみずしく書かれています。

1934年、東京生まれ。早稲田大学卒業後、松竹大船撮影所に勤務、木下惠介監督のもとで助監督を務める。'65年、シナリオライターとして独立。以後、数々のテレビドラマの脚本を執筆。主な作品に「男たちの旅路」「岸辺のアルバム」「想い出づくり。」「ふぞろいの林檎たち」など。

## 人の幸福観と比較しなくていい

仕事とはこんなもんだ。人生とはこうあるべきだ。いい大学に行って一流会社に入ることが幸せなんだ。家族とはこうでなければいけない……。さもそれが現実だと言わんばかりに、単一的な価値観を押し付けられます。

しかし、この世の中のあらゆることが決まっているわけではありません。それらは時代の限界で単一化されているだけかもしれない。まだまだ、「そうじゃないかもしれない」と立ち止まる余地はあるのです。

震災によって職を失った人もいます。不況の影響で給料が大幅に下がった人もいます。政治の体たらくによって、老いても年金がもらえないという不安もある。何と希望のない、不幸な時代を生きているんだろうと嘆く人も多いでしょう。今の自分は幸せではないと。

ならば、幸せとは何でしょうか。美味しいご馳走が食べられる。海外旅行に好きに行ける。おしゃれな部屋に住むことができる。あるいは会社のなかで出世する。きっとこういうことが世間で言うところの幸せではないでしょうか。ほんとうにそうですか。いったい誰が、それらを幸せだと決めたのですか？

そうじゃないかもしれない、そんなところに幸せなどないかもしれない。ならば自分自身の幸せを探してみよう。このエネルギーこそが若さだと思う。世間で言われているような幸福観と比較する必要などまったくありません。

仕事とはこんなものだ。人生とはしょせんそんなものだ。それは若い人が言うべき言葉ではないし、安易に受け入れることではありません。世間の通念を鵜呑みにすることなど、若い人には似合わない。

大切なことは、自分の力で自分の幸福を探すことです。「そうじゃないかもしれない」という思いを持ちながら、あくまでも「個」としての人生を探すことだと思います。

リルケは、「青年たち、子どもたち、老人たち。そんなものはない。みんな、一人ひとりの個なんだ」というようなことを言っています。

青年だからこうしなければならない。子どもや老人だからしなくてもいい。そうじゃなく、青年だからといってするべきとは限らない。老人だからといってできないと思ってはいけない。

津波で家も職場も流されてしまったから、もう自分の人生は終わりだ。そんなことが決まっているわけじゃない。人生とは、そんな簡単に終わるものではありません。

## 今は天国にいて、愚痴を言っているようなもの

私の青春時代は、日本中が貧しさにあえいでいました。明日ご飯が食べられるかどうかもわからない。そんな時代からすれば、今はほんとうに豊かな時代です。不況でお金がないと言うけれど、みんな牛丼の大盛りくらいは食べられるでしょう。あんなご馳走を私は若い頃に食べたことがありません。私たちの世代からみれば、今は天国にいて愚痴を言っているようにさえ思えます。

少し貧乏なくらいが美しい。そんな美意識がもう少し広まればいいと私は思っ

ています。お店に何着かの洋服が並んでいたとしたら、一番高価なものではなく、三番目くらいのものを買う。ご馳走ばかりを食べてもしょうがない。

そんなものより、自分の舌に馴染れたものを愛する。美味しいものばかりを渇望し、味覚を野放しにするのは格好悪いこと。海外旅行に十回行ったところで、人生が豊かになるとは限りません。そんなところに、ほんとうの幸せがあるとは思えない。

少し立ち止まって、もう一度これまでの幸福観を眺めてみることです。お金さえあればいいのか。欲しいものさえ手に入れればいいのか。

「そうじゃないかもしれない」

そう疑ったとき、新しい生き方がみつかりはじめるのだと思います。

山田太一さんの

## 折れない心の秘訣

- うまくいかなくても、自分を責めない
- 世の中の価値観を鵜呑みにしない
- 自分の幸福観を見直してみる

# 自分と正面から向き合う

不安になったときこそ、
自分を見つめてみましょう。

下重暁子（しもじゅうあきこ）●作家

2015年9月号掲載
取材・文　金原みはる／写真　御厨慎一郎

最初に就いた仕事は、NHKのアナウンサーでした。でも、なりたくてなったわけじゃないんです。大学を卒業したのは昭和三十四年。女性の就職先などほとんどない時代でした。そんななか、学校の就職課で唯一紹介してくれたのが放送局。それも女性の募集があったのは、アナウンサーだけでした。

取材記者やディレクターのような創る仕事ならよかったのですが、普段の私はほとんど喋らないほうでした。学生時代の私を知る人は、言ったものです。「あの人、よくアナウンサーになれたわね」って。「なったわね」じゃないの、「なれたわね」(笑)。そのくらい、人づきあいが悪くて、無口でした。

## 小さな頃から、もの書きになりたかった

小学校の二・三年の二年間は、結核でずっとベッドの上の生活でした。当時は奈良県の疎開先にいて、ベッドといってもピンポン台。家の中でも隔離された状態ですから、友だちができるはずもありません。

よその人と話すといえば、向かいの陸軍病院から二日にいっぺん注射を打ちにきてくれるお医者さんくらい。あとは、その病院に入院していた若い兵隊さんが、たまに相手をしてくれる程度でした。子ども同士キャッキャッと遊んだこともない。だから、同世代とのつきあい方がわからないまま大人になってしまったのね。

そんな日々がつらかったわけじゃありません。家には父が買い集めた文学書や

画集がたくさんあって、それを読んだり眺めたりするのが好きでした。

自分で物語を作ることもよくありました。ほとんど妄想（笑）。でも、楽しかった。将来はもの書きになろうと決めたのは、この頃です。

やがて敗戦。父は陸軍の将校でしたから、追放されて職を失いました。それまでは憧れだった父も、〝落ちた偶像〟になったのです。言うこともガラリと百八十度変わり、父を、大人を、信用できなくなり背を向けました。

家族が経済的に苦しくなったこともあって、「これからは自分ひとりで生きていくんだ」と覚悟を決めました。向いていないアナウンサーの仕事でも、食べるためにはやるしかないと思ったのは、そのためです。

それまでは、どちらかといえば恵まれた家のお嬢さんだったかもしれません。でも、病気と敗戦が私を変えてくれた。あの体験がなかったら、きっと私はつまらない女になっていたんじゃないかしら(笑)。いえ、今がすばらしいというわけじゃないんですよ。でも、昔のままだったら、人に頼って、のほほんと生きていたかもしれません。少なくとも「もの書きになりたい」なんて〝業〟の深そうなことは、言わなかったでしょうね。

大学時代の同級生に、二〇一三年に芥川賞を受賞した黒田夏子さんがいました。彼女は早くに母親を亡くし、学者のお父様と二人、繭の中で息を潜めるように暮らしてきた人です。孤独というとかっこうつけ過ぎですが、口数が少ない者同士、お互いどこか同じ匂いを感じていた。大学では、一緒に同人誌をやっていて、親しくなりました。

同じもの書きになる夢を持ちつつ、あれから私は、やれアナウンサーだ、キャスターだと道草ばかり。やればやったで仕事ですから懸命にやり、本気で道草をくってしまうから帰り道が遠くなる。

でも、黒田さんは、ただひたすら書き続けた。料亭の事務員などで生きるための最低限のお金をまかないつつ、すべての時間を書くことに費やしてきたんです。

その結果、七十五歳で賞をとったのですから、お見事です。もううれしくて、誇らしくて。負けたなぁ、私にはできなかったなぁ……と思いました。ただただ、頭が下がります。

## 「書く」とは、自分を掘るということ

私自身、これまでエッセイや評論など、約八十冊の本を書いてきました。ですが、この五十年、ちゃんと「書いた」という気にはなかなかなれませんでした。NHK文化センターでも、月に一度の講師を、もう二十年※つとめています。教えるなんて柄じゃない。ただひとつ「これだけは」とお伝えしているのは、「書くことは、自分を掘ること」だという思いです。掘るとは、あるテーマを与えられたとき、それについて自分はどう思うのか、どう感じるのか、それはなぜか……と、自分自身の奥深くに問いかけていくことです。

たとえば、「あじさい」と聞けば、私はなぜか寂しくなる。それは多分、小さな花が群れて一つの大きな花となるあの独特な形状が、私の心をざわつかせるからではないかしら。ほら、人も、大勢集まって群れれば群れるほど、寂しさがつのるってことがあるでしょう。それと同じ。自分を掘れば、「あじさい」をテーマにしただけで、そうした孤独について書けるかもしれないのです。

もっと深く掘れば、ある日の北鎌倉での出来事を思い出します。その日、私は、ちょっと気になる男性と、あじさいの名所で有名な明月院へ出かけました。べつに恋人じゃないのよ（笑）。でも、お寺を詣でて「先に行くね」とその彼が石段を降りていったとき、左右のあじさいが一斉に、まるで媚びるように彼に向かって

※2015年当時

花開いたように見えたんです。

　その瞬間、「ああ、彼はほかの女性とここへ来たことがあるのだ」と感じました。あじさいは、きっとその秘密を彼と共有しているんだわって。あのとき感じた、なんとも言えない疎外感は何だろう……。

　掘って、掘って気づいたのは、あれは「嫉妬」だったということです。恋人じゃないなんて言いつつ、私はみっともないくらい嫉妬していたんですね。

　こんなふうに、掘れば、恥ずかしい自分、かっこ悪い自分、醜い自分を見せつけられることもあるでしょう。書くとはそういうことだと思います。慣れないうちは、テーマを与えられると、つい外側の知識や情報を集めてしまいがちです。私の教室の生徒さんも、最初はそう。でも、知識を文章にしても人の心には届かない。

　だから、「掘りましょう」なんです。「自分、自分」とこだわるのはつらいことです。でも、自分をとことん掘ることで「人間とは何か？」の普遍性に行き当たる。自分を知って、

1936年生まれ。早稲田大学教育学部国語国文科卒業後、ＮＨＫに入局。女性トップアナウンサーとして活躍後、フリーとなる。民放キャスターを経た後、文筆活動に入る。ジャンルはエッセイ、評論、ノンフィクション、小説と多岐にわたる。著書に、『家族という病』（幻冬舎新書）、『自分勝手で生きなさい』（マガジンハウス）など多数。

はじめて人を理解し、思いやることができるのだと思います。

偉そうなことを言っても、私自身、さっきお話ししたように、この五十年間、道草ばかり。自分から逃げていました。「ものが書けた」と思えるようになったのは、実はつい最近です。たとえば家族のこと、恋愛のこと。言わなかったこと、目を背けていたことに、はじめて向き合えた。

七十八歳にして、やっともの書きとしてスタート地点に立てたのです。これから死ぬまでは、もう道草しない。一生もの書きでい続けようと覚悟を決めました。

## ひとりになったときの練習をする

いつか夫や妻と別れる日がくるんじゃないか。年を重ねて、そんな不安に揺れている方もいらっしゃるでしょう。子どもとのつきあい方がわからない人もいるでしょう。不安になったときこそ、自分を見つめ、何か書いてみてはいかがでしょうか。

ものを書くのは恥をかくこと。でも、いいじゃないですか。私もそうですが、年を重ねてはじめて、きれいごとでない自分と正面きって向き合うことができるのだと思います。一生に一度でいい。〝人生の作文〟を書いてみるのもおもしろいかもしれませんよ。

今の私は、自分を掘るのと同時に、ひとりの練習もしています。というのも、私のつれあいは、料理が得意で、最近ではお茶やお花まで軽やかに楽しむような人。「誰かと一緒に住むなんて無理」「生活なんてつまらない」などといきがっていた若い頃の私に、暮らしの大切さを気づかせてくれた人です。

ですから、万が一、彼が先にいなくなったらどうか、ひとりで暮らせるかと考えてみました。

そこで、思い切って家庭内別居を実践。部屋も別々、お互いなるべくひとりで行動するようにして、ひとりになったときの練習をしているというわけです。

これもいざというとき、急にガクッとこないための私なりの知恵。無鉄砲に見えて、案外用心深いところもあるんですね、私（笑）。

下重暁子さんの

## 折れない心の秘訣

- 自分自身の感情をとことん掘る
- 不安になったら、文章を書いてみる
- ひとりになったときの練習をする

◆前向きになるエッセイ

# 挫けそうでも、足は止めない

幅広く活躍している山里亮太さんにも、「どん底」の時期がありました。

山里亮太
（お笑いタレント）

1977年、千葉県生まれ。大学在学中に吉本興業のタレント養成学校NSCに入学。2003年、山崎静代と「南海キャンディーズ」を結成。コンビで活躍するほか、ラジオパーソナリティなどでも活動。著書『天才はあきらめた』（朝日文庫）が発売中。

人は誰しも、逆境を体験するものですが、強い人ならその状況に果敢に立ち向かい、やすやすと乗り越えるでしょうね。

では、弱い人には無理かというと――そんなことはないと思います。

僕自身はいたって弱い人間で、かつて逆境に立ったときは本当に苦しみました。でも一方で、「自分は弱い」と知っていたからこそ、立ち直る術を必死で身につけ、這い上がれたのかもしれない、と思っています。

そんな僕の「どん底」は十三年前※。当時組んでいた「足軽エンペラー」というコンビを解散することになったのです。

当時の僕は、自分のことは棚に上げ、相方に対して「なんでもっとがんばらないんだ」と、厳しく問い詰めることで自分を正当化してい

※2016年当時

ました。本当は自分もサボっているくせに、相方をきつく叱ることで、「がんばっている自分」を装っていただけ。ただ相方を苦しめ、追いつめた末に、彼は去ってしまいました。これはショックでしたね。そのときはさすがに、「もう芸人は続けられないのかな」と思いました。

## 「どん底」でこそ、あきらめない

僕は、芸人としてはいわゆる「天才」と呼ばれるような人間ではありません。才能ある人間と組まないと、笑いを生み出せない。なのに、自らの失敗でひとりになってしまった。情けなくて、惨めで、挫けそうでした。

でも、「ここで立ち止まってはダメだ」とも思いました。落ち込んだままでは足が止まる。足が止まると、いよいよ這い上がれなくなる、と。

だから、ひとりでも舞台に立ち続け、相方を見つける道を模索しました。

その末に出会ったのが山崎静代――みなさんご存じの「しずちゃん」です。彼女と「南海キャンディーズ」を結成した後も、しばらく売れない時期が続きました。
最近知った話ですが、当時の彼女は、「次の舞台でウケなかったら、山ちゃんとのコンビを解消しよう」とまで思い詰めていたそうです。

対する僕は、「前の相方に捨てられたときに比べたら、なんでもない」と思っていました。そう考えると、「どん底」はたしかに心を強くしますし、成長をももたらします。いまの僕は、相方を不用意に叱ることも、怒りと真剣さとを混同することもありませんからね。

では、「どん底」は必ず強さと成長をもたらすのかというと、そうとは限らないのもまた事実です。自信を喪失し、希望を失ったまま沈んでいく危険もあるでしょう。

この分岐点で沈むほうに向かうとしたら、それは「あきらめたとき」ではないでしょうか。僕は「どん底」に落ちて、あきらめそうになるたびに、ひとつずつ潰していきました。

## 「なりたい自分」を想像する

あえて「自ら退路を断つ」というのは、そのひとつのやり方です。「芸人になる」と両親に宣言して関西にきたことを思い出し、今更故郷に帰れない、と思い直すのです。

はたまた、過去の成功体験を思い出す。笑

いを取れた舞台や、仲間のほめ言葉などを大げさに脚色して回想し、いい気分になる。そして、この「どん底」を経て磨かれた自分を想像し、喝采を浴びる姿をイメージする。

ある意味、自分を「錯覚させる」わけですが、それによって気持ちが奮い立ちました。新しいネタを書こう、次の舞台にチャレンジしよう、というパワーが生まれてくるのです。

一方で、周りの芸人に限らず、輝いている人への嫉妬や劣等感、コンプレックスも、ひとつのバネになっています。

テレビに出てくる、高学歴で、もう非の打ちどころのないようなイケメンでも、若い女性アイドルに対してでもそうです。

※今年初優勝した琴奨菊関のニュースを見て、「俺がもし優勝しても、パレードにこんなにたくさんの人が集まるかな。もっとがんばろう」なんて考え、やる気になるのです。

今でも弱い人間ですが、「あきらめない努力」だけは決してやめないでしょう。凡才だけど夢を叶えたい、弱くても逆境に負けたくない。それなら、前に進むしかないですから。

あの手この手で自分を元気づけ、チャレンジを続ける。それが、弱い人間が強く生きるための知恵なのだと思います。

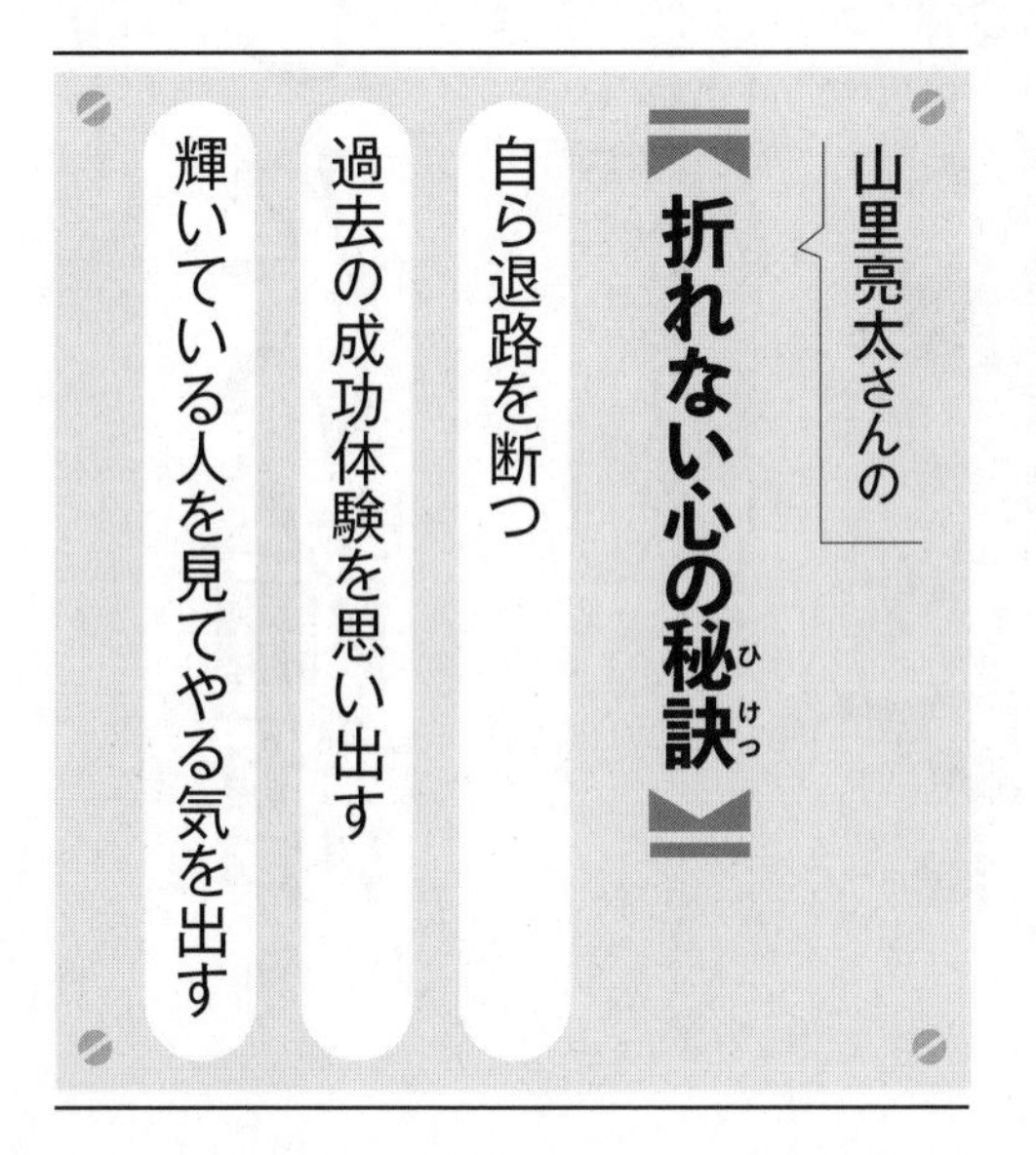


※2016年当時

# 毎日にいかしたい論語

## 人生を楽しむための知恵の宝庫！

上手（うま）くいかずに悩（なや）んだとき、落（お）ち込（こ）んだとき、心の支えになるような教えが『論語』にはあります。二千五百年近くも前に生まれた『論語』がなぜ受け入れられるのか――。その秘密を探（さぐ）りつつ、暮らしに上手（じょうず）に取り入れる方法をご紹介（しょうかい）します！

守屋（もりや） 淳（あつし）（作家）

一九六五年、東京都生まれ。早稲田大学第一文学部卒業。大手書店勤務後、中国古典の研究に携わる。孫子、孔子、老子、荘子などの知恵を、どう現代にいかすかをテーマに研修、講演等を行なう。著書に『渋沢栄一「論語と算盤」の思想入門』（ＮＨＫ出版新書）ほか。

イラスト：北原明日香

## いま、なぜ『論語』なのか

『論語』というと、いかめしい道徳を身につけて、品性や品格を磨いていくといった堅苦しいイメージがあるかもしれません。しかし、それは一面的なものでしかありません。『論語』には、孔子のこんな言葉があります。「何かを知っているというのは、それを好きだという境地に及ばない。しかしそれも、楽しんでいる境地の深さにはかなわない（これを知る者はこれを好む者に如かず。これを好む者はこれを楽しむ者に如かず）」（雍也篇）。

つまり、「自分が向上する手ごたえを楽しもう、そうすれば一生ワクワクしながら成長し続けられる」と孔子は考えていました。

現代は変化の激しい時代といわれますが、そんな時代にこそ『論語』の教えはうってつけなのです。

## 孔子の魅力とは

孔子（前五五一〜四七九）は、挫折や苦労の多い人生を送った人物でした。しかし、そんな経験を結晶化して、今を生きるわれわれの胸を打つ教えを残し続けたのです。

孔子は、若い頃から政治家になって活躍することを夢見ていましたが、果たせず、長らく私学の塾長として生計を立てていました。やがて五十歳を過ぎてから、母国の魯で念願の政治家になり、活躍します。しかし失脚して、自分の政策を取り上げてくれる国を探そうと、十三年も各国を放浪します。けれど、これもうまくいかず、晩年は母国の魯にもどって、教育や学術の整理に力を尽くしました。

ときに悩み、絶望しつつも、希望を信じて前に進んでいく——そんな姿に後世の人間は魅入られ続けてきたのです。

# 『論語』の後世への影響

政治、経済、芸術など、『論語』はあらゆる分野に取り入れられています。その一部をご紹介しましょう。

## フランス革命

『論語』や儒教の教えは、意外なところでフランス革命に影響を及ぼしています。

十七世紀、イエズス会士の翻訳で『論語』などの儒教の古典を読んだフランスの知識人たちは、「悪い政治をする王は倒してよい」という考え方を学び、当時の「王権神授説」に対抗しました。それが後のフランス革命に繋がったといわれています。

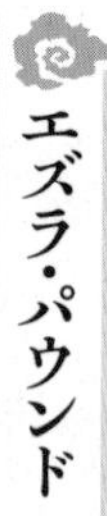

## エズラ・パウンド

『論語』の影響のかなりユニークな例に、二十世紀の天才詩人のエズラ・パウンド（一八八五～一九七二）がいます。彼は『論語』に魅入られ、自らの詩にその漢字を散りばめたり、第二次世界大戦後には「ヒットラーやムッソリーニも、孔子の教えに従っていれば問題をおこさなかっただろう」という発言を残しています。

## 渋沢栄一

ドラッカーなど海外の研究者から、「日本企業はとても『論語』的である」といわれていますが、その基礎を築いたのが「日本資本主義の父」と呼ばれる渋沢栄一（一八四〇～一九三一）でした。彼は約五百の会社、約六百の社会事業に関わりましたが、そのさいモットーとしたのが「論語とそろばん」、つまり道徳と経済の両立だったのです。

# 暮らしに取り入れたい論語の教え

## 人間関係編

よい関係づくりのポイントは「相手をよく見る」ことから始まります。

**人の己を知らざるを患えず、人を知らざるを患う。**

不患人之不己知　患己不知人也（学而篇）

人は自己評価が高くなりがちなもの。そのため「人から認められない」と嘆いたりします。しかし立派な人間は、そんななかでこそコツコツ自分を磨き、逆に他人の真価を理解しようとするものだ、というのです。

不遇が長く続いた孔子が、自分への戒めとしてつぶやいた言葉だともいわれています。

**朋友に数すれば、ここに疏んぜらる。**

朋友数斯疏矣（里仁篇）

孔子の弟子、子游の言葉。『論語』の教えの特徴に「無理をしない」「人情に逆らうことをしない」という点がありますが、この一節はその代表的なものです。

いくら親しい友人でも、何度も忠告してばかりいると、しつこい奴だと嫌われてしまいかねません。そうではなく、相手の受け入れられるタイミングで忠告すればいいというのが『論語』の教えです。

## 仕事編

**失敗や過ちから学び、正しい判断力を養う。周りの誤りを指摘することも時には必要です。**

**過ちて改めざる、これを過ちと謂う。**

過而不改　是謂過矣（衛霊公篇）

孔子は、「人や組織は失敗もするし過ちも犯す。しかし、そこから学習して成長し、その結果として成果をあげることができる」と考えていました。

これは現代でいえばドラッカーなども共通する人間観、組織観ですが、この見方からいえば、何も学習しないでいる失敗や過ちこそ、人生において本当の失敗や過ちになるのです。

特に仕事では心すべき言葉でしょう。

**君子は和して同ぜず、小人は同じて和せず。**

君子和而不同　小人同而不和（子路篇）

君子、つまり立派な人間は協調性に富んでいるが雷同はしない。しかし小人、つまりつまらない人間は逆だというのです。

協調性と雷同を分けるポイントは、「悪いことは悪い」としっかり同僚同士や上司と部下で指摘し合えるか否か。

法令違反をしているのに、「上司の命令で逆らえない」などと言っているのは、「同」になってしまうのです。

## 勉強編

「知っているつもり」になっていることも多いもの。自らを振り返り謙虚な姿勢で学んでみませんか。

**学びて時にこれを習う。また説ばしからずや。**

学而時習之　不亦説乎（学而篇）

『論語』の冒頭を飾る有名な言葉。

学ぶとは、先生などから何かを教わることで、習うとはそれを復習してしっかり身につけていくことです。

現代でいえば、習いごとやスポーツで先生に教わった知識や技はそれだけでは身につきません。くり返し練習することによって身についていくのです。

確かに、「自分は上達した」と感じられる瞬間にこそ、学びの喜びはあるのではないでしょうか。

**これを知るをこれを知るとなし、知らざるを知らずとなせ。これ知るなり。**

知之為知之　不知為不知　之知也（為政篇）

人には一般的に、「わかったような気になってしまう」という悪癖がついてまわります。そんな状態で他人にそのことを教えたりすると、自分がいかに未熟だったかを痛感させられるのです。

自分が何をきちんと咀嚼し、何を咀嚼していないかを知ることは、本当の意味での「知」の基本になるわけです。

## 家族編

**親をいたわり、子を守る。親子の愛、親子の情けは何よりも強い結びつきです。**

**父母の年は、知らざるべからず。一は則ち以って喜び、一は則ち以って懼る。**

父母之年　不可不知也　一則以喜　一則以懼（里仁篇）

『論語』や儒教においては、親子の愛が、すべての愛の基本に位置するものでした。

ですから、子が両親へ孝行を尽くすのは当然のことであり、常に両親の年を知って、その長寿を喜びつつ、老い先の短いことを心配することが求められたのです。

**父は子の為に隠し、子は父の為に隠す。直、その中に在り。**

父為子隠　子為父隠　直在其中矣（子路篇）

もし自分の父親が犯罪に手を染めてしまったらどうするのか――こんなシビアな問いかけに、孔子は「父親を息子がかばうのが人の情なのだ」と言います。法やルールよりも家族のかばい合いを重視する考え方は、現代の中国でも身内を大事にする「家族主義」へと形を変えて受け継がれています。

コラム

### 仏教と儒教の意外な関係

『論語』や、そこから派生した儒教は、意外なところでわれわれの生活に影響を及ぼしています。

たとえば、仏壇にある位牌。もとの仏教に位牌はなく、儒教の儀式で使っていた木主が元だといわれています。

また、回忌を足掛けの年数で数えるのも、儒教の喪の年数の数え方から来ています。日本の仏教はかなり儒教的なのです。

## 人生編

**充実した人生を送るためには何を大切にしていけばよいのでしょうか。**

**歳寒くして、然る後に松柏の凋むに後るるを知るなり。**

歳寒　然後知松柏之後凋也（子罕篇）

日本で人気の花といえば、散りぎわの美しい桜。一方、孔子が好んだのは、厳しい寒さにも負けずに緑をたたえ続ける松や柏（中国の常緑樹）でした。確かに桜は、潔い美しさがある反面、粘り腰に欠けるような印象があります。

こうしたしぶとさやしたたかさは、日本人がもう少し、身に付けたほうがよい面かもしれません。

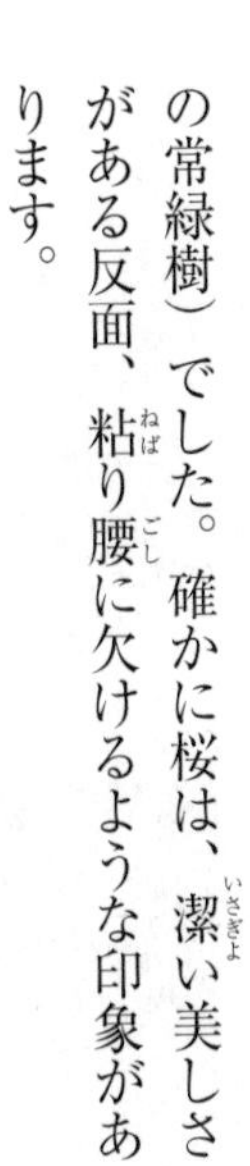

**君子は世を没て名の称せられざるを疾む。**

君子疾没世而名不称焉（衛霊公篇）

立派な人間というのは、一体何を目指して生きるべきものなのか。

ここであげられているのは、生きている間に何か素晴らしい行ないをして、「ああなりたい」「あの人を手本としよう」と後輩や子孫から称えられることです。

もちろんそのためには、義、つまり公益のために尽くさなければなりません。私利私欲に他人からの称賛などないのです。

［専門家からのアドバイス］

# 感謝の気持ちで一日を終える

感謝を忘れず、今を精一杯（せいいっぱい）生きる。
私たちにできるのは、それだけです。

**信樂香仁**（しがらきこうにん）（鞍馬弘教管長、総本山鞍馬寺貫主）

1924年、京都府生まれ。京都府立第二高等女学校卒業。'44年、鞍馬寺に入山。'49年、鞍馬寺で得度。鞍馬弘教宗務総長・鞍馬寺執行を経て、'74年から現職。歌人としても活躍。著書に『すべておまかせ』（トゥーヴァージンズ）などがある。

## 波を受け止める

今年※で九十五歳になります。これまで多くの方の悩みを伺ってきました。「今、どん底です」とおっしゃる方も少なくありません。ただ、「どん底」という言葉を耳にすると、私はいつも思うのです。「果たして、〝どん底〟といえる状況などあるのだろうか」と。

生きていれば、さまざまなことが起こります。うれしいこと、楽しいことがあれば、悲しいこと、落ち込むこともあるでしょう。

人生は、なだらかな曲線、まるで波のようなものです。下降する波はどこかで必ず底を打ち、今度は上昇し始めます。ですので、底の底、「どん底」はないと思うのです。

同様に「天井」もないでしょう。思い通りに事が運んで有頂天になっていたら、それこそ今度はドスンと落ちてしまいます。

**上がったり下がったりする波を、どう受け止めるかが大切**なのではないでしょうか。

私は昨年※六月に転倒し、左の大腿骨を骨折して三カ月ほど入院しました。もう九十を過ぎた身体ですので、「再び歩くことができるのだろうか」「いつ退院できるだろうか」といった不安がなかったわけではありません。

結果的には歩けるまでに回復し、現在も以前と同様に鞍馬のお山で暮らしています。

ありがたいことですが、もしかしたら歩けなくなっていたかもしれません。そのときは、

※2019年当時

もちろん残念に思うでしょうが、きっと今と同じように、その現実を受け止めて、自分にできる生活をしていたと思います。

どんな結果であれ、私はただ目の前の現実を受け入れてゆくだけです。**「自分は運が悪い」と嘆いたり、「もう少し気をつけていれば」と自分を責めたり、「あの人のせいで」と人を恨んだりすることはありません。**

なぜなら、私には、生きるうえで大切にしている三つの考えがあるからです。たとえつらいことがあったとしても、常にここに立ち返ります。一つひとつ、ご紹介しましょう。

## ❶ 命は預かりもの

現代に生きる私たちは、自分の人生を自分の意思でコントロールできるものだと考えがちですが、実はそうではありません。

私たちは、**「生きている」**のではなく、**「生かされている」**のです。そもそも、生まれる時代や環境、親などは自分で選べません。

ということは、**私たちの命は自分のものではなく、天からの「預かりもの」**ともいえます。天からの雨が再び天に戻るように、私たちの命もいずれお返しするものなのです。

私は「長生きしたい」と思ったことはありませんが、「預かりもの」の命だからこそ、

大切にしてきました。みなさんも人から何かを預かれば、壊したり汚したりしないよう、大切に扱うと思います。命も同じなのです。

いつかお返しする「預かりもの」の命ということを忘れず、「生かされている」というつつしみの心を大切にしてゆきましょう。

自己主張が当たり前の現代では、消極的な印象があるかもしれませんが、「自分が、自分が」という我を先立てる発想では、思うようにならないとき、すぐに心が揺らぎます。

一方、**「命は『預かりもの』で、自分のものではないからコントロールできない」と考えれば、目の前に起こったあるがままの現実を受け入れやすくなります。**

## ❷ マイナスとプラスは表裏一体

※昨年九月、とても強い台風が関西を直撃しました。ちょうど鞍馬山が強風の通り道になったため、大きな被害を受けました。

今も至るところに大木が倒れたまま。お堂の修理もままなりません。倒れた木を回収するにはヘリコプターが必要で、費用がいくらかかるのか見当もつかないほどです。

しかし、同時に希望もあります。大木が倒れた場所には太陽の光がしっかりと届き、新たな芽吹きが見られるのです。

台風で倒れた木の多くは、かつての林業政策で人工的に植えられたスギやヒノキでした。同じ木ばかりだと根の深さも同じなので、倒れるときには一斉に倒れてしまう。多様な木が育てば、根の深さもまちまちなので、大きな被害にはならないはずです。

自然には、もともとこうした力が備わっています。「早く育つ木、お金になる木を」といった人間の都合ではなく、自然の力に任せれば、何十年、何百年後の鞍馬は、さらに豊かになっていることでしょう。

※2019年当時

このように、**物事にはすべてプラスとマイナスがあります。今起きていることがマイナスに思えても、長い目で見るとプラスに転じることも多々あるのです。**

目先の結果にとらわれずに長い目で考えれば、マイナスにこそ得るものが多いことに気がつきます。

## ❸ すべておまかせ

鞍馬で暮らしていると、常に自然の力と恵みを感じます。太古より守り継がれたお山では、千種類以上の動植物が生き、そして大地に還ってゆきます。

こうした命の循環には、当然、私たち人間も含まれます。森羅万象、すべてがつながっていると考えると、おのずと感謝の気持ちが湧いてきます。

私は、**一日を感謝の気持ちで終える**ようにしています。「電気さん、お水さん、ありがとう」と、灯りや水、火、家など、今日一日あらゆるものに守られたことに感謝して、「ありがとう」と実際に言葉にするのです。

すると、何ともいえない幸せな気持ちに包まれて、ぐっすりと眠れます。朝はすっきり目が覚め、「さあ、今日も生かされた命を精一杯生きよう」と思えるのです。

**感謝を忘れず、今を精一杯生きる。**私たちにできるのは、それだけです。**結果は天にすべておまかせしましょう。「ならないものはならない」し「なるようにはなる」**ものですから。

この鞍馬寺も、度重なる火事に見舞われるなど、世間で「どん底」といわれる状況を何度も経験してきました。しかし、その度に蘇って、今があります。いつも心に太陽を持って、ともに明るく前を向いてゆきましょう。

# 感謝を忘れず、今を精一杯生きる！

## 実践！ 3つの考え方

### ❶ 命は預かりもの

「生きている」のではなく、
「生かされている」

### ❷ マイナスとプラスは表裏一体

目先の結果に
とらわれない

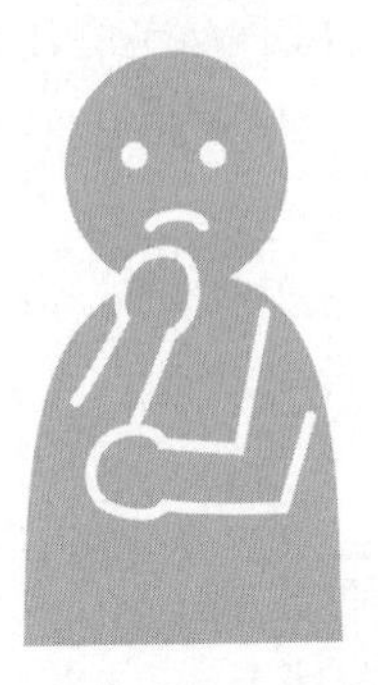

### ❸ 結果はすべて天におまかせ

「ならないものは
ならない」

「なるようには
なる」

# あなたの支えになる、いい言葉 ❶

## 凹（へこ）んでも、強くなれる！

この章で、どの言葉が、あなたの心に響（ひび）きましたか。

その苦しみの半分は、
何ものかに背負ってもらえばいい。

山田太一（21ページ）

不安になったときこそ、自分を見つめ、
何か書いてみてはいかがでしょうか。

下重暁子（32ページ）

あの手この手で自分を元気づけ、
チャレンジを続ける。

山里亮太（37ページ）

いつも心に太陽を持って、
ともに明るく前を向いてゆきましょう。

信樂香仁（50ページ）

# 「今」を前向きに生きる

起きたことを悔やむより
今、この瞬間を一生懸命生きる。
いつか「いいこと」は必ずあります。

2018年10月号掲載
取材・文　辻 由美子／写真　遠藤 宏

歌手デビューしたのは、大学四年生のとき、アマチュアのシャンソンコンクールに応募して優勝したのがきっかけです。大人たちは、私を売り出そうと必死でした。美人でもなく、色気もない私に、華やかなドレスを着せ、つけ睫毛をつけ、「アイラインは一センチ以上引いてください」などと指示を出します。

要するに、私という人間をきれいにラッピングして、リボンをかけ、商品として売り出そうとしてくれていたわけです。

私は言われるがままに、一生懸命、自分を作っていました。でも、心の奥には、いつも「何か違う」という違和感を抱えていました。

あるとき、キャバレーで歌う仕事が入りました。ステージでシャンソンを歌ったものの、お客さんは誰も私の歌など聴いていない。ドレスを着て、つけ睫毛をつけて歌う自分が次第に馬鹿らしく思えてきて、「何か違う」が爆発してしまったのです。

「すみません。このままじゃ、私、帰れません。どうすればいいか教えてください！」

私はお客さんにつっかかっていました。みんな「何言ってるんだ。この娘は」とあっけにとられて見ています。目の前に座っていたヤクザ風の男が「童謡でも歌ってればいいんじゃないの」と返してきました。私はステージの上であぐらをかいて、「か〜ら〜す〜、なぜ鳴くの〜」と、仕方なく童謡を歌い始めました。

すると、酔っ払いだらけの客席がシーンとなりました。知っている童謡を次から次へと歌っていくと、そのうちヤクザ風の男が涙を流して泣きだしたのです。その衝撃は大きかったですね。「歌は人の心を震わせる」と思い知りました。

結局、自分の中から絞り出すようにして作ったものしか、人の心に残らない。身体の外側ではなくて、内側が大切。内側が「何か違うな」と言っているときは、その声に従って生きるべきだと思いました。

それからです。自分が歌いたい歌を少しずつ作り始めたのは。周りがきれいにラッピングしてくれた包装紙を自分で破り出したわけです。

## 人間、完璧には生きられない

少し前に、ロシアの大学生に話をする機会があり、そこで、「人間とは何か」という話になりました。私はそのとき、人間は〝液体〟だって言ったんです。その液体が、人それぞれの袋という入れ物に入っていて、人間の形になっていると伝えました。

袋には、様々な種類があります。皮膚の色や背の高さ、脚の長さ、造形が美しかったり、日本人とかロシア人などの区別があったり……。

外側の袋をきれいにラッピングして、リボンをかけ、ピカピカの人間に見えるように、みんな、きちんと、きれいに、正しく生きている。

でも、中身は液体です。だから、本当はどんな形にもなれるはずなのに、多く

## 自分の中の違和感を大切にする

の人は外側の袋ばかり気にしています。

そういう私も、若い頃は、ずっと外側の袋のほうを自分だと思っていました。

でも、あるとき、自分というのは袋ではなくて液体だと感じた瞬間がありました。

それは、二十歳になる一週間前、男性と初めてキスをしたときのことです。それまで本や友人からの知識で、「キスはこうかな」「恋ってこうかな」と思い描いていたのに、それらはすべて外側から袋を見て、判断していたに過ぎなかったと思い知ったのです。

なぜなら、キスをした瞬間、身体の中がグチャッと壊れたような感覚になって、身体の内側を感じたからです。瞬間的に気分が悪くなって、相手の男性の頬を殴ってしまった(笑)。

それほどショックを受けました。袋にきちんとおさまっていた自分が、キスした瞬間に壊れてしまったという感覚があったのです。

今思えば、すごく大事な体験でした。よく私は「存在がにじむ」という言い方をしますが、人には袋から液体がにじみだすときがあるんです。たとえば、男を知ったときとか、子どもができたときとかに、その人の何かが変わるのです。

実は私、自分の娘が男性を知った瞬間を見抜きました。明け方に娘が帰ってきて、「あのね、ママ」と言ったとき「どんな男？」と聞き返したのです。娘はびっくり。「なぜ、わかるの？」と聞いてきましたが、私には娘の存在がにじむのが見えたの。

私たちは、小さいときから、きちんと、きれいに、正しく生きることを求められます。「きちんとこのマス目に字を書きなさい」「きちんと服を着なさい」などといったように、大人になるということは、自分の袋におさまって、それをきれいにラッピングして、リボンをつけて、ピカピカの商品として世の中に出すことなのかもしれません。

でも、人間、本当は液体なのです。きちんと、きれいに、正しく、完璧に生きようと思っても生きられない。勝手に流れ出てしまうのが人間という存在なのです。シャンソン歌手としてデビューしたのに、童謡を歌ったり、ロックやジャズなんかもやる。自分の身体の内側の声を聴いて、液体が流れだすように生きてきたのが私でした。それでも何とか今日まで生きてきました。

破れてもいい。流れてもいい。何とかなる、というのが私の人生に対するスタンスです。

## ステータスは面倒くさい！

私はよく、人生を「春夏秋冬」で考えます。「春」は生まれてから自立するまでの、未知数で、何が起こるかわからない時期です。「夏」は、二十五歳前後からの時期。自分で暮らしを始めて、結婚して、子どもを生んで、毎日が無我夢中という日々です。

そして、「秋」は五十歳からの時期を指します。この時期には、子育てが終わります。「春」「夏」は、汗を拭く暇もないという毎日ですが、「秋」になると、子どもたちも巣立って、身軽になって、すーっと清々しい感じになります。

私の場合、そういった心境になる前に試行錯誤がありました。五十歳になる直前、ある業界の方から、こんなことを言われたのです。

1943年、中国東北部ハルビン市生まれ。'65年、東京大学在学中に第2回日本アマチュアシャンソンコンクールで優勝し、歌手デビュー。翌年に「赤い風船」で日本レコード大賞新人賞、'69年に「ひとり寝の子守唄」で、'71年に「知床旅情」で日本レコード大賞歌唱賞を受賞。国内外で活発にコンサート活動を続けている。

「これからは大歌手であるというステータスを身に付けなきゃダメだよ」

時代はちょうどバブルで、何もかもが豪華になっていました。専属のスタイリストやメイクを雇って、ハイヤーで乗り付けて。「そういったことをちゃんとしないと、一流になれない」と言われて、「そうなのかな……」と思ってしまったのです。

でも、メイクさんに頼むと、自分でやるより何倍も時間がかかるし、それに、ハイヤーを雇った途端、三回も飛行機に乗り遅れたのです。運転手さんは丁寧にお辞儀をしてドアを開けてくれますが、「自分でドアを開けて一人で乗れるんだから、さっさと走らせてほしい」と思いましたね（笑）。

「ああ面倒くさい。もっと小回りがきいて、自由に動けて、やりたいことをやれるようにしたい」

そう思うようになって、好きなことを好きなようにやれるよう、自分で事務所を立ち上げました。髪も短く切って、「面倒くさいものは全部捨てていくわ」と決意したら、人生がより面白くなりましたね。「何よ！　ステータスって」という感じです（笑）。

## 幸せは、自分の内側にある

私も、※もうすぐ三回目の二十五歳を迎える年齢になります。孫が七人いるおばあちゃんです。人生の「冬」に近づいてきました。袋からはみ出してばかりの人生でしたが、振り返ってみると、自由で楽しかった。

亡くなった夫が千葉県の鴨川に有機農法の農園「鴨川自然王国」を作りました。そこには、次女夫婦が移り住んで、私たちの想いを引き継いでくれています。

今でも私は、鴨川と東京を行ったり来たりする生活を送っています。鴨川に行くと、豊かな自然や、耕せる田んぼや畑がいくらでもあります。

「山に行けば、何でもあるのよ」

※2018年当時

先日、同じ集落のおばあちゃんが、私にそう言いました。本当に、その通りですね。山菜は山ほどあるし、食べられる木の実、天然の山芋、何でもあります。

都会は便利で何でもあると思うかもしれませんが、本当はその逆だと思います。お金、地位、名誉、人にどう思われたいか……など、都会には外側の袋を飾るものばかりがあふれていて、私たちはそんなものに押しつぶされそうになって生きています。一方、ここ鴨川では自分をラッピングしなくていい。

確かなことは、身体の内側だけです。これからの時代の幸せは、そんなふうに自分の内側の声と対話し、耳を傾けながら見つけていくものかもしれません。

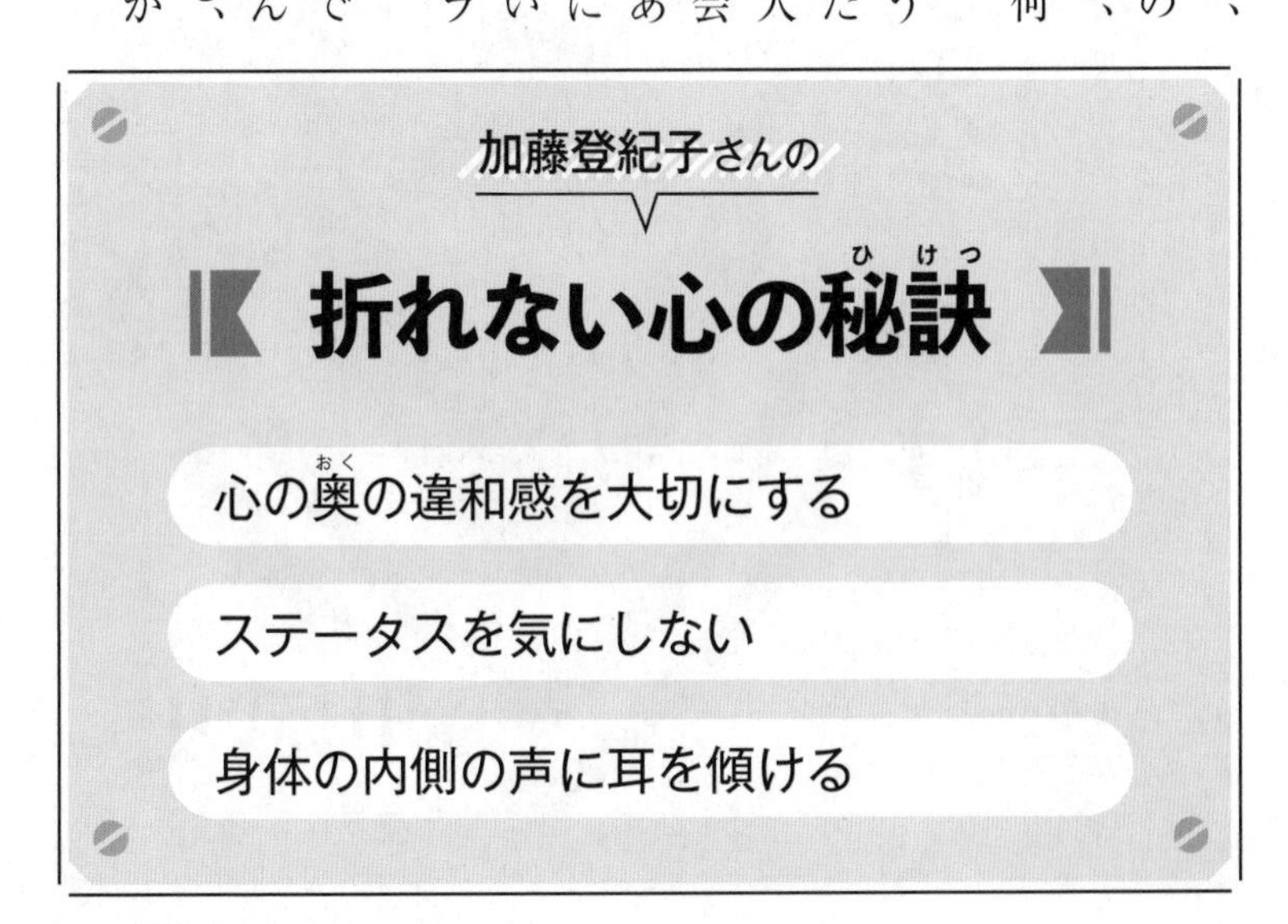

2016年3月号掲載
取材・文　金原みはる／写真　関暁

愛媛県今治市に本拠地を置く社会人サッカーチーム「FC今治」のオーナーに就任して、二年目※になります。監督からオーナーへ。「なぜ？」とのご質問をよくいただきます。

きっかけは、「日本サッカーが世界に勝つためには何をすべきか」を仲間と議論したことでした。そこで出てきたのが、プレーに独自の「型」が必要なのではという発想です。

日本には昔から武道や茶道に伝わる「守破離」という思想があります。師匠から学んだことを守り、破り、離れる。これが道を究めるための成長プロセスだとされています。もしかすると、サッカーでも同じことが言えるんじゃないか。そこで、「守破離」を実践するチームを一から自分の手で作ってみたくなったんです。

当時は、中国リーグでの監督を退任して帰国したばかり。悠々自適、妻と二人、旅でもしながら楽しく生きていこうとあれこれ計画していたところでした。それなのに、また夢みたいなチャレンジを始めちゃった(笑)。妻が許してくれたのは、「代表監督を引き受けるよりはましか」と思ったからじゃないですか。

## 「逃げちゃダメだ。これは俺の仕事だ」

一九九八年のフランス大会と、二〇一〇年の南アフリカ大会。二度のワールドカップ代表監督の経験は、確かに尋常なことではありませんでした。

※2016年当時

負ければ、批判はすべて僕に集中します。自宅近くまで不審者がうろつくし、脅迫状や脅迫電話も止まらなかった。

フランス大会の頃は、自分が有名になるなんて思ってもいなかったので、名前や番号を電話帳に載せていたんです。家の前には二十四時間パトカーが待機し、異様な緊張感でした。テレビで僕がボロカスに言われているのを観て、まだ小さかった子どもは泣いていました。

家族を苦しめ、自分自身ものたうち回った。それなのに、二度目がこようとは。オシム監督が病に倒れ、突然のオファーでした。〝神さま〟と称賛されたオシム監督とは当然比較されるし、準備なしでいきなり大事な局面を任される。誰が考えても、引き受ければ損をするんです。妻は「絶対やめて」と言ったし、僕も最初は断るつもりでした。

ところが、なぜだろう。話を聞いているうちに、腹の底から「逃げちゃダメだ。これは俺の仕事だ」という思いが湧いてきた。結局、また引き受けてしまったわけです。

そもそも、そこに山があれば登りたくなるようなタイプです。「どうしておまえは苦しい道ばかり選ぶんだ」とよく言われます。

でも、僕だって、わざわざ苦労したいわけじゃない。ただ、直感で「おっ、おもしろそう」と思うからやるだけなんです。勝算のあるなしも、損得も考えない。だって、人生、計算してその通りにいくもんじゃないですからね。

「FC今治」のオーナーになったのも同じです。オーナーといったってお金がないから、資金集めに四苦八苦ですよ。それでもチャレンジせずにはいられなかった。やっぱり、これも直感です。頭でリスクを考えるより、ワクワクする気持ちのほうが先でした。

**究極の状況を経験したことで、強さや自信が身につきました**

直感を大切にするようになったのは、指導者を経験してからです。監督の仕事とは、決断すること。しかし、「この選手を使ったら勝率六十％で、この選手を使えば四十％」なんていう理屈じゃ答えは出せません。もちろん選手の起用や戦術はとことん考えるものの、最後は、結局自分の直感で決断するしかない。

しかも、その直感も、信用できるのは、無心に近い状態で「勝つためにはこうすべきだ」とポッと浮かんだものだけ。「こんなことしたらマスコミに叩かれる」とか「あの選手がふてくされる」などと少しでも保身に走ったら、それは絶対に当たらないです。

ただ、無心になろうとしても、なかなかなれるものじゃないんですね。僕は坐禅をやりますが、ロッカールームなどで座って目を閉じても、まぁ雑念だらけ（笑）。

ところが、あるとき突然、自分の中の何かが劇的に変わったんです。

## 「どん底」を経験して迷いがなくなった

それは一度目の代表監督として、ワールドカップ・フランス大会のアジア最終予選にのぞんだときのこと。マレーシアのジョホールバルというところで、イランとの最終決戦がありました。これに負ければ、日本は屈辱の予選敗退です。先ほどお話ししたように、どれほどバッシングを受けるかわかりません。妻に電話して、本気で言いました。

「イランに勝てなかったら、日本へは帰れない」

精神的にはもうギリギリ。しかし、いざ戦いが始まったときです。突然、開き直ったんですね。「日本サッカー界の将来がかかってる？ 冗談じゃない。俺ひとりでそんなもの背負えるか。文句があるなら、俺を選んだサッカー協会の会長に言ってくれ！」と（笑）。

僕は、もともとそんなに強い人間じゃない。このプレッシャーには耐えられないとも思っていた。けれど、開き直ったとたん、怖いものがなくなったんです。何か自分自身が根底から変わった気がしました。

分子生物学者の村上和雄先生は、こういう状態のことを「遺伝子のスイッチがオンになる」という言い方をしておられます。人類は長い歴史の中で氷河期や飢餓期を乗り越えてきた。その強い遺伝子を、本来誰もが持っているのだそうです。

1956年、大阪府生まれ。早稲田大学政治経済学部を卒業後、古河電気工業に入社し日本代表に選出。'90年、現役引退。'97年に日本代表監督となり、'98年、ワールドカップ・フランス大会で史上初の本選出場。その後、Jリーグのチーム監督を経て、2007年から再び日本代表監督を務め、'10年のワールドカップ・南アフリカ大会でベスト16に導く。'14年11月、FC今治のオーナーに就任。

ただ、便利で快適、安全な社会にノホホンと生きていれば、スイッチを入れる必要がないだけなんですね。

僕の場合、ワールドカップのこの究極の状況の中で、どうやらスイッチがオフからオンに切り替わったようなのです。

結果的にはイランに勝ち、日本へ帰ってくることができました。あの経験以降、直感力が高まった気がします。決断するときも迷いがなくなった。これまでとは違う自信や強さを身につけたということかもしれません。

この体験を通してわかったのは、誰もが自分の限界を超える力を持っているということです。子どもたちや若い世代には、ぜひスイッチをオンにする体験をしてほしい。

そんな願いもあって、今、野外体験教育にも取り組んでいるんですよ。たとえば、日本とカナダの大学生二十人でロッキー山脈に分け入り、十日間かけてカヌーとトレッキングでゴールを目指す。そんな過酷なプログラムもやりました。

途中で歩けなくなる者、ケンカする者、

「帰る」と言い出す者。いろいろなトラブルを、そのつど学生だけで解決し、最後はみんな泣きながら抱き合っていた。確実に顔が変わっていましたね。

自然の中で朝日を眺めるだけだっていい。とにかく、ぬくぬくとした快適な環境から一度抜け出してみることをおすすめしたいです。

## ファンのありがたさを忘れない

「FC今治」は、十年後には日本代表メンバーが五人くらい選ばれるような強いチームに育てるのが目標です。しかし、僕の夢はただ勝負に勝つことだけではありません。

チームが注目されれば、海外を含め、全国から選手を目指す子どもや若者、指導者たちが集まってくるでしょう。そうなったら、高齢化でお年寄りしかいなくなった家で、彼らをホームステイさせてはどうだろう。街でスポーツマン向けのお料理の勉強会を開いたり、英会話教室もあったらいい……。

そんなふうに、街全体の活性化につながるチャレンジをしてみたいんです。気がついたら、今治市全体がオープンで国際色豊かな街になっていたらおもしろい。あれこれ妄想するうちに、やりたいことがどんどん増えていくんですよ。

今は経営者としての仕事が忙しく、全国を飛び回っていますが、拠点の今治市では一戸建てを借りてコーチ二人とシェアハウスをしています。リビングが広いので、しょっちゅうサッカー仲間が集まってわいわいやっています。僕がご飯を作ったりしてね。学生時代に戻ったようで楽しいです。

監督時代は試合のことしか見えていなかったのが、オーナーになったらファンのありがたさが身にしみます。

※昨年の今治での開幕戦のときは、お客さまが来てくれただけでもう大感動。一人ひとりと握手してお礼を言いたくなりました。

「いいか。お客さまあってのサッカーなんだぞ。覚えとけ！」

コーチたちに偉そうに言ったら、「岡田さん、やっとわかったんですか。そんなのみんな知ってますよ」と笑われました。※五十九歳にして、まだまだ勉強ですね（笑）。

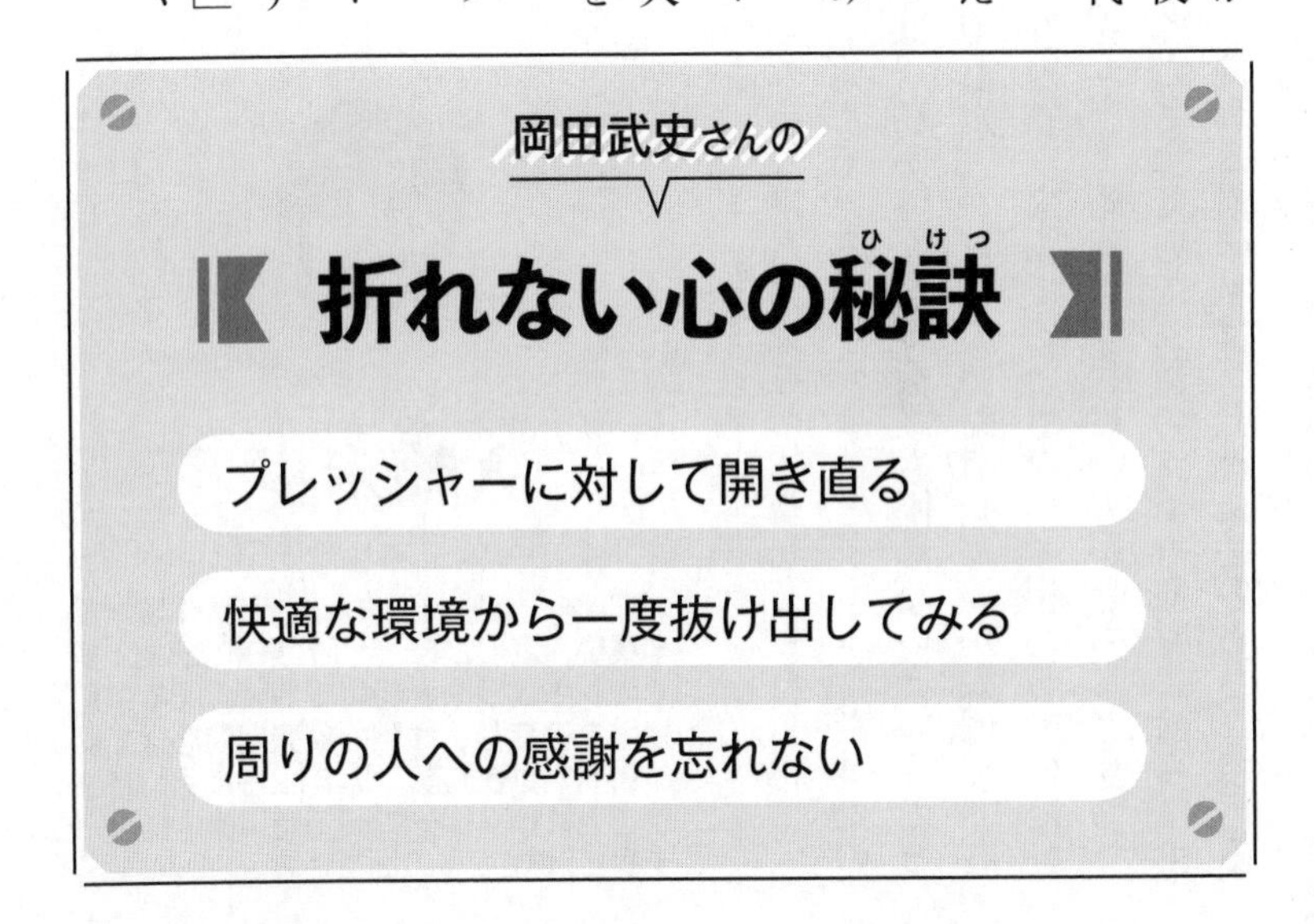




※2016年当時

向きになるエッセイ

# この瞬間を本番にする

**生き方が変わったきっかけは、三十四歳の若さで発症した脳梗塞でした。**

大橋未歩（おおはしみほ）
（フリーアナウンサー）

1978年、兵庫県生まれ。上智大学法学部卒業後、2002年、テレビ東京に入社。多くのレギュラー番組にて活躍。'13年に脳梗塞を発症し、休職。療養期間を経て同年9月に復帰する。'17年12月にテレビ東京を退社しフリーに。「5時に夢中！」（MXテレビ）ほか、多方面で活躍。

今から五年前、※三十代半ばで、脳梗塞を発症しました。夜寝る前に顔を洗っていて「あれ、左手の感覚がない……」と思った瞬間、そのまま倒れ込んでしまったのです。

すぐに病院に運ばれましたが、CTでは異常なし。後日撮ったMRIで脳梗塞が見つかり、再度入院してステントを入れました。幸い、からだや言葉に麻痺は残りませんでしたが、会社は八カ月ほど休職しました。

休んでいる間、ちょっとショックだったのは、私がいなくても誰も困らないということでした。在籍していたテレビ局が大慌てで右往左往、なんてこともない。担当していたレギュラー番組も、代役の方がきちんと務めてくださっていて、何の支障もありません。

倒れる前の私は、会社に必要とされている

※2018年当時

と思い込んでいたし、それが喜びでもありました。でも、当たり前ですが、私ひとり抜けたって、世の中はちゃんと回るのです。それに気づいたとき、ああ、自分はなんて傲慢だったのだろうと思い知らされました。

そのとき、ふと浮かんだのが、医師とのこんなやり取りでした。診断では、私の脳は四カ所壊死した状態だそうです。「それでもこうして生きているのは、なぜですか？」とうかがったところ、返ってきたのが「たまたまです」という言葉でした。

## たまたま生かされているだけ

それまで私は、どんなときも自分の力で、自分の思い通りに生きている気でいました。

こんなことを言うのは恥ずかしいのですが、たとえば、中学受験や大学受験も第一志望に合格。オリンピックの取材をするのが夢でアナウンサーになったのですが、その夢もアテネ、北京、ロンドンで実現しました。

そんなこともあって、目標を決め、それに向かって努力すれば何でも叶うのだと、やはり傲慢にも思っていたのです。

でも、いくら努力してがんばっても、人間、倒れるときは倒れます。自分の力で生きているのではない。たまたま生かされていただけなのだと痛感しました。

生き方が変わったのは、それからです。

仕事の現場でも、以前なら「自分がこの場を仕切らなきゃ」などと肩に力が入ってしまうことがよくありました。

良くも悪くも会社人間で、視聴率で他局に負けたくないという競争心もありました。でも、そんな気負いもスッと消えました。

そもそも、「自分ひとりでなんとかしよう」とがんばるのは、どこかで周りの人を信頼していない証拠です。それでは、番組全体が盛り上がるはずがありません。

現場で自分にできることをがんばるだけで、あとは共演者やスタッフのお力をお借りしよう。そんな気持ちで、ただ流れに乗るようにしたら、逆に、「大橋、よかったよ」と、おほめいただけるようにもなったのです。

流れに乗るように生きる

## 大きな目標がなくてもいい

目標を決めて突っ走るような生き方も、見直しました。目標を立ててしまうと、そこへ向かう日々は、すべて準備期間ということになります。もし途中で死んだら、私、準備ばかりして終わった人になってしまいます。

それでは、やはりさびしい。人生、その瞬間、瞬間を本番にしたいと思いました。どんなに小さなことでもいい。その日に出合ったことを一つひとつ味わい、大切にして生きていこうと思うようになりました。

実際、今は、荷物を持って階段をトントンと駆け下りただけで、「こんなことができるロボットを開発するには何兆円もかかるのに、人間のからだは普通にできる。すごい！」なんて感動しています。生きているだけで、超幸せだなって（笑）。そう考えると、何をやっても楽しいし、感動するのです。

十五年間お世話になったテレビ局を退社し、※今年フリーになりました。これからは、自分なりに何か人のお役に立てる仕事ができたらいいなと思います。

一からの挑戦で、失敗することもあるでしょう。でも、今は逆に失敗するのさえ楽しみです。失敗から一つでも学べれば、ほんの少しでも成長した自分になれるからです。

大きな目標がなくてもいい。昨日より少しだけいい今日を迎えられれば、それは私にとっていい人生なのです。

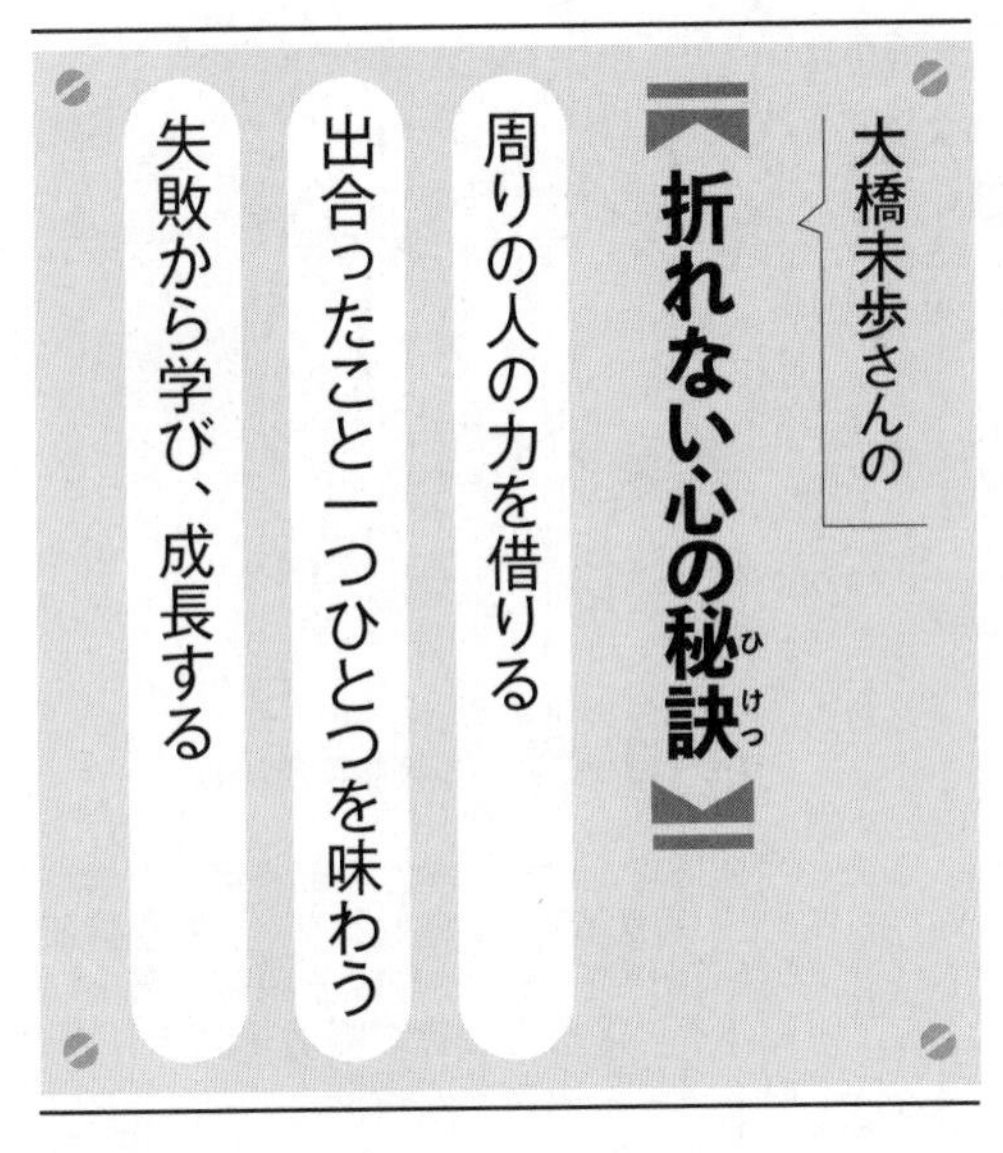


※2018年当時

やってみよう！

# 自分でできる 簡単ヒーリング

現代は、ストレスに満ちた時代だと言われます。
今ほど、心の健康を考えなければならないときはありません。
あなたも、自分に合ったヒーリングを見つけてみませんか？

**渡辺 登**（わたなべ のぼる）（赤坂診療所所長）

1976年、日本大学医学部卒業。医学博士。国立精神・神経センター精神保健研究所研究室長などを経て現職。著書に『ボケ・認知症を防ぐ脳活特効法101』（主婦と生活社）など多数。

イラスト：さややん。

# ストレスを溜め込まない

ストレスというものは、意外に自分では気がつきにくいもの。でも、放っておくと大変なことに……。どうすれば早めに気づき、解消していけるか考えてみましょう。

## ストレスフルな社会

現在、世の中はストレスの要因に満ちています。職場ではリストラの心配、家庭では短い時間のうちに家事、育児で大忙しなど……。余裕のない生活の中で、誰もが心身ともに疲れています。

そのうえ現代は、人間関係のストレスも目立ちます。特に、癒やしの場であった家庭が、強いストレスを受ける場になっています。

かつては、大家族で暮らし、いざこざもありましたが、困ったときには助け合っていました。ところが核家族化した今は、お互いの関係が希薄で、支え合いの機能が低下し、皆が孤立した状態です。人はもめごと以上に、孤独に強いストレスを感じるのです。

## ストレスは早めに解消

目まぐるしい毎日を送っていると、それが日常化し、ストレスに耐えていることに気づかない場合が多くあります。

特に忙しいときは、感覚が麻痺してしまいがち。そして、ある日突然、手足が動かなくなるなど、身体が悲鳴をあげて、はじめて「自分は疲れている」と気がつくのです。

とは言え、**ダウンする前に、身体はSOSのサインを出しています。**その典型的なサインが、食欲がない、眠れない

## チェック あなたのストレスは、どれくらい？

下の項目をチェックして、自分のストレス度合いを見直してみましょう。

現在、あなたの状態にあてはまると思う欄に☑印をつけてください。

- □気持ちが沈んで憂うつだ
- □泣いたり、泣きたくなる
- □夜、よく眠れない
- □朝方は一番気分がすぐれない
- □食欲がない
- □ふだんよりも動悸がする
- □落ち着かず、じっとしていられない
- □いつも気持ちがどんよりしている
- □いつも通りに仕事が出来ない
- □何となく疲れる
- □将来に希望が持てない
- □いつもよりイライラする
- □決断に時間がかかる
- □生活が充実していない
- □日頃していることに満足していない

☑**が12個以上** ＊要注意です。場合によっては、専門医の受診が必要です。
☑**が8個以上** ＊ストレスがかなりたまって心配な状態。ゆっくり休養してから、ヒーリングを。
☑**が4個以上** ＊ストレスを抱えています。ヒーリングでリラックスしましょう。

などの本能の低下です。

それにより「仕事なんてどうでもいいや」と思ったり、「家事が面倒だ」と感じるなど、日常生活の中で自然にこなしていたことが出来なくなったり、その能力が低下してしまうのです。

ですから、**ひどい状態になる前に気がついて、ストレスを軽減させることが大切**なのです。でも、時間に余裕のない中では、自分のストレスを発見しにくいのも事実です。特に心に受けたストレスは、わかりにくいもの。客観的な視点で自分を振り返る、上記のチェック方法で、ストレス度合いを知りましょう。

# 自分で自分にヒーリング

ストレスを自覚したら、無理は禁物。疲れた身体と心は、早めに癒やすことが大切です。では、どうすれば、自分で癒やしていけるか、考えてみましょう。

## ヒーリングって何?

前項では、ストレスの問題点をみてきましたが、ストレスは必ずしも悪いものとはいえません。

たとえば試験がなければ、学生は勉強しません。期限のない仕事だと、いつまでも終わらないでしょう。

試験や期限をクリアすることにストレスを感じても、やり遂げれば達成感があり、それによって成長もします。人間にとってストレスは、程々に必要なものなのです。

ただ、今の私たちが社会の中で受けるストレスは、自分で調節できないことが多々あります。ストレスの原因が家族関係にあったとしても、一朝一夕に立て直すことは無理ですし、忙しいからといって会社を辞めるわけにもいきません。ですから、ストレスをなくすのではなく、少しでも心を軽くすることが、「ヒーリング」の目的になります。

**ヒーリングでもっとも大切なのは、自分を大事にすること**です。疲れた自分を休ませ、「よくがんばりました」とほめて、ヒーリングをプレゼントしてあげるのです。**必要以上にがんばることは、心の健康には逆効果**です。

自分を大事に

元々、人間というのは「明るく元気」に生活する力を持っている生き物です。その芽を上手に伸ばしてあげさえすれば、自己治癒します。芽を伸ばすことこそ、最高の「癒やし」なのです。

## 自分にあった方法を

癒やしの必要性を多くの人が感じているからか、たくさんのヒーリング法があります。雑誌などで次々に紹介されていますから、皆さんも目にしたことがあるでしょう。

しかし、自分に合った癒やしを選ばないと、またストレスが溜まってしまいます。洋服のサイズと同じで、「いいなぁ」と思っても合わないこともあるので、注意が必要です。

どれが合うかは人それぞれ。試してみないとわかりませんから、まずはトライしてみることです。そして自分が心地よい、と感じたものだけを取り入れましょう。

癒やしと一言でいっても、様々な方法があります。一つに限定せず、体調や気分に合わせて選択できるよう、バリエーションを持ちましょう。

## 自分で自分を癒やすために

今は癒やしの形もバリエーションにあふれています。自分の心と身体への「いたわり」としての癒やしを考えてみましょう。

### 心の持ち方

#### マイナス思考に陥らない

「いくら努力してもダメ」など、一つの考えに陥ると萎縮し、滅入ります。長所短所は紙一重。発想を変えて違う面を見ましょう。

#### 人の意見に耳を傾ける

人は互いに支え合って生きるものです。自分の考えに固執せず、素直な気持ちで本や人の意見に耳を傾けてみましょう。

＼実践！／

# ヒーリングで楽しい毎日を

同じストレスでも、どう癒やすかで、毎日が楽しく過ごせるか、辛いものになるか分かれることはご理解いただけたでしょうか。

つぎに、もう一つ気づいて欲しいことがあります。実は、多くの日本人が、今まさにヒーリングを必要としているのです。というのも、**ストレスがたくさん溜まっている人は、同じような毎日を繰り返す人に多く見られる**からです。

会社と家の往復だけで一日が終わる会社員や、一日のほとんどの時間を家で家事をしている主婦などが、これにあたります。一つのことだけをしていると、何か問題が発生するとそのことばかり気になり、心が重くなるのです。

今まで他人事だと思っていた人も、こう聞くと、ヒーリングが必要だと感じたのではないでしょうか。

## 自分なりの方法を見つけよう

ヒーリングのいいところは、心のバランスをとるだけでなく、一時的とはいえ、問題を忘れられることです。別のことに意識を向けると、気持ちに余裕が出て、心が癒やされるのです。

実際にヒーリングをするといっても、どんなやり方をしたらよいかわからない人は、次からの解説を参考にしてみてください。

今回は、入浴、食事、坐禅、音楽、植物、ペットの六つのジャンルを紹介します。自分なりの方法を見つけて、毎日を楽しく暮らしてください。

温まってヒーリング

## 入浴

入浴をシャワーで済ます人も多いですが、疲れをとるには、お湯に浸かって汗を出すことが大切です。

ネットに入れた天降石をお湯の中に入れておけば、体中がポカポカ温まってきます。

最後に顔を石でなでておくと、お肌もツルツルに。

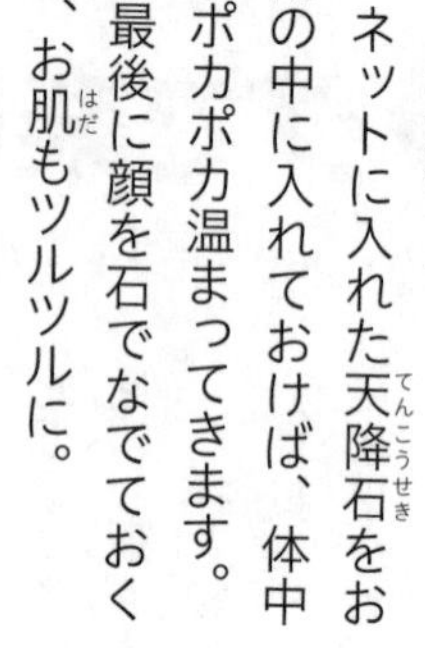


食べてヒーリング

## 食事

**ま**…まめ類
**ご**…ごま類
**わ**…わかめ類
**や**…野菜
**さ**…魚
**し**…椎茸（茸類）
**い**…いも類
**こ**…酵素（生発酵食）

「毎回、栄養バランスを考えるのは大変」という人も、「まごわやさしいこ」を一日三回の食事内で摂ればＯＫ。低カロリーで栄養満点です。

心を静かにヒーリング

## 坐禅

精神の鍛錬、心の安定を得るための方法として、古くより日本に伝わる坐禅。

特別な道具はいらず、老若男女問わずに自分でできるヒーリングなのが魅力です。

静かな場所を選んで、座布団を半分に折った上に腰を下ろし、腹式呼吸を意識して、自分ができる時間からトライしましょう。

心を安定させる

## 聞いてヒーリング 音楽

同調と言って、寂しいときには寂しい音楽を聞くなど、今の気持ちにそった音楽を聞くことが大切。

悲しいときにポップな音楽を聞いても、受け入れる余裕がなく余計に元気を失ってしまうことが多いです。

メロディー、歌詞どちらを主体に選んでも構いませんが、普段から親しみのある音楽が良いでしょう。

気持ちにそった音楽を

## 育ててヒーリング 植物

成長を喜ぶ

植物を育てると、手を掛けて育てた植物の成長を日々見る喜びを得られます。

花は様々な種類があるので、世話のしやすさなどを考えて自分に合ったものを選ぶことが大切です。

また咲かせた花の美しさを感じ取れれば、心が健康な証拠でもあります。

## ふれあってヒーリング ペット

自分を頼ってくれる動物がいるというのは、自尊心が高められ、大きな癒やしにつながります。

頼られることにより、自分自身を大切にする気持ちも深まります。

また可愛がるほどに反応があるので、愛おしさも増します。ただし、飼育する際は責任を持って接しましょう。

可愛がるほど愛おしく

[専門家からのアドバイス]

# 心を強くする4つの習慣

プラスのエネルギーを上手に増やして、
毎日を前向きに過ごしましょう。

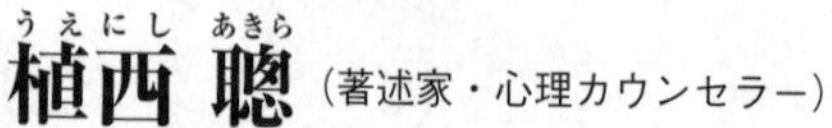

**植西 聰**（著述家・心理カウンセラー）

東京都出身。学習院大学卒業後、資生堂に就職。独立後、東洋思想、ニューソートなどに基づいた人生論の研究に従事。1986年、研究成果を体系化した「成心学」理論を確立し、著述活動を開始。著書に『毎日をいい日にする！ 「感謝」のコツ』（PHP研究所）など多数。

本当はいつも機嫌よく生きたいのに、つい、イライラしたり、落ち込んだりしてしまう……。多くの人が、そんな悩みを持っています。

その原因は、自分の心のエネルギーの状態と関係があります。知らない人にとっては意外かもしれませんが、**人の心の中では、プラスとマイナスのエネルギーが常に増えたり減ったりしており、それが、その人の感情や体調などに大きな影響を与えているのです。**

前向きな気持ち、人に対して優しい気持ちになれるときは、心にプラスのエネルギーが多くなっているときです。

プラスの感情を感じよう

反対に、マイナスのエネルギーでいっぱいのときは、身体が疲れやすくなり、精神的にも怒りっぽくなったり、妬みやすくなったり、つい後ろ向きのことを考えたりしてしまいます。

では、プラスのエネルギーを増やすには、どうしたらいいのでしょうか？　そのためには、プラスの感情を感じるようなことをするのが効果的です。

## ❶「いい言葉」を口にしよう！

プラスの感情とは、**「うれしい」「楽しい」「好き」「きれい」「おいしい」というような、その言葉を口にすると、心が温かくなるような感情のこと**を指します。

プラスの感情は、心にプラスのエネルギーを増やし、そして、プラスのエネルギーは、身体を病気から守る免疫のような役目をします。

人間の身体は免疫力が高まっていると、ウ

イルスが体内に入っても、それを跳ね返してしまうため、病気になりません。それと同じで、心の中にプラスのエネルギーがたくさんあると、思いがけないような出来事が起きても、感情を乱されることなく、前向きな気持ちで受け止めることができるのです。

心にプラスのエネルギーを作るためにすぐに実行できることに、プラスの言葉を使う、ということがあります。

**「ありがとう」「うれしい」「やりたい」「できる」というように、口に出すと、元気が出る言葉がプラスの言葉です。** この言葉を生活の中で意識的に増やすようにすると、心にはプラスのエネルギーが増えます。

同時に、マイナスの言葉を使わないようにすることも重要です。マイナスの言葉とは、「嫌い」「できない」「まずい」「ムカつく」というような、マイナスの感情のときに発せられるような言葉です。また、人に対する悪口も大きなマイナスのエネルギーを持っています。

マイナスの言葉を使わない

A子さんは、人付き合いでうまくいかないことが多く、昔から、人の悪口を言ってしまう癖がありました。しかし、悪口を言ったあとはいつも自己嫌悪になることに気づき、ある日から悪口を封印して人の良いところだけに注目するようにしました。そして、人をほめる機会を増やすようにしてみました。

すると、周りから「A子さん、最近明るくなったね」と声をかけられることが増え、人付き合いで嫌な気分になることも減ったそうです。

昔から日本には、言霊という言葉があるように、言葉には大きな力があります。A子さんが人付き合いで失敗していたのは、周りのせいではなく、A子さん自身の言葉にも原因があったのです。その言葉のパワーが悪い方に働かないように、**マイナスの言葉を言いたくなったら、グッとガマンして、プラスの言葉に言い直すようにしましょう。**

## ❷ 自分を愛おしもう！

心をプラスのエネルギーで満たすには、自分を好きになることもとても大切です。

自分に自信がない人は、自分の悪いところに注目して、落ち込んだり、人をうらやましく思ったりしがちですが、**誰にでも、魅力的な部分があります。まずは、自分がその魅力を認めてあげてください。**外見も経歴も関係ありません。**「私はこのままの自分で幸せになれる」と自分自身に誓いましょう。**

また、自分を好きになるためには、自分の本心と向き合い、自分が本当にやりたいことをやる時間を作ることも効果的です。

いつもは仕事や家事を優先している人も、たまには自分の心が喜ぶような予定を入れてもいいのです。好きな俳優が出ている映画を観に行ったり、いい香りの香水を買ったり、ちょっとしたことで心は安らぎます。

自分に無理をさせすぎないことも肝心です。例えば、やりたくないことをお願いされたら断り、会いたくない人とは会わないという具合です。マジメな人はお願いや誘いのすべてに応じなければと考えがちですが、**行くと心にマイナスのエネルギーが増えるような場所や人の所には、行かなくてもいいのです。**

特に、自分を傷つける友人や、悪口ばかり言っているグループからは、距離を置いたほうがいいです。「誘ってくれてありがとう。あいにくその日は都合が悪いから、ごめんなさいね」という風に、プラスの言葉でやんわりと断れば、相手を傷つけることもありません。

## ❸ 心地よい環境で過ごそう！

一流ホテルや人気のカフェは、清潔で、そこにいるだけで気持ちがよくなります。それと同じように自分の部屋や会社の机の上も清潔にして、整理整頓をしておくと、それだけで毎日を気分よく過ごすことができます。

また、海や山などの自然はプラスのエネルギーの塊なので、その中に身を置くだけで、エネルギーをチャージすることができます。

ある女性は、仕事がうまくいかないときは、近所の公園にある大きな木を抱きしめます。するとと、木にマイナスのエネルギーが吸収されて、公園から帰るときには元気になれるそうです。

## ❹ 誰かを笑顔にしよう！

人に喜んでもらうという経験も、心にプラスのエネルギーを増やします。ですから、親孝行をしたり、寄付をしたりすることも、できる範囲で心がけるといいでしょう。

それでも落ち込んだときは、自分にないモノではなく、自分がすでに持っているモノを数えましょう。仕事も家も家族も、あって当たり前のモノではありません。それを思い出すことで、深く落ち込むことを防げます。

完璧な人間なんていませんから、時には落ち込むのも仕方ありません。でも、せっかくの人生、ずっと落ち込んでいるのはもったいないといえます。

心にプラスのエネルギーを増やす習慣を身につけて、笑顔で過ごす時間を増やしていきましょう。

# プラスのエネルギーを増やそう

## 実践！ 4つの習慣

### ❶「いい言葉」を口にする

### ❷ 自分を愛おしむ

### ❸ 心地よい環境で過ごす

### ❹ 人を笑顔にする

# あなたの支えになる、いい言葉 ❷

## 「今」を前向きに生きる

この章のどの言葉が、あなたを勇気づけましたか。

確かなことは、身体（からだ）の内側だけです。
加藤登紀子（61 ページ）

誰（だれ）もが自分の限界を超（こ）える力を持っている。
岡田武史（67 ページ）

人生、その瞬間（しゅんかん）、瞬間を本番にしたい。
大橋未歩（73 ページ）

せっかくの人生、ずっと落（お）ち込（こ）んでいるのはもったいないといえます。
植西 聰（86 ページ）

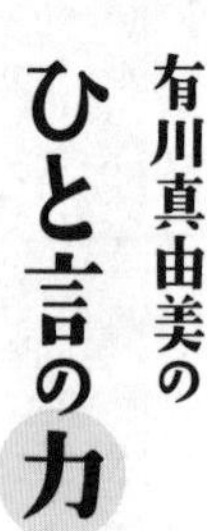
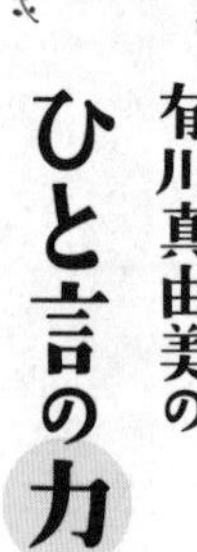

連載

# 有川真由美の ひと言の力

生きていれば、いいことも悪いこともあります。ときに、ピンチに襲われることも。でも、大丈夫。有川真由美さんが、困難に直面したとき自分に言い聞かせる、とっておきの「ひと言」を紹介します。

第二回

## ピンチを切り抜ける

有川真由美（作家、写真家）

化粧品会社事務、塾講師、新聞社広告局編集者など、多くの職業経験を活かして、働く女性のアドバイザー的な存在として書籍や雑誌などに執筆する。『なぜか話しかけたくなる人、ならない人』（ＰＨＰ研究所）など著書多数。

## この程度で済んでよかった

命にかかわるピンチでなければ、そう自分に言い聞かせることにしています。

「最悪」「もうダメ」「終わった」などと思うこともありますが、言葉の力とは偉大なもの。「この程度で済んでよかった」とつぶやくだけで、もっとひどい状況を想像して、「この程度ならなんとかなる」と思えてくるのです。

ピンチといっても、小さなものから大きなものまでさまざま。私ごとでいうと、小さなピンチは、約束の時間を間違えた、うっかりミスで迷惑をかけた、仕事の締め切りに間に合わないなど。大きなピンチは、海外での一人暮らしで病気になった、転勤先の女性全員からムシされた、雪山で車が動かなくなった、など。ピンチの九割は「身から出た錆」です。

ここで自分を責めたり、焦ったり、パニクったりしても、なにひとつ、いいことはありません。大騒ぎをしないことが大事。

まずは大きく「ふーっ」と深呼吸し、「あーら。困ったわねぇ。まぁ、これくらいで済んでよかったわよ」と、他人ごとのようにつぶやきます。ほかにも「たかが○○でしょ」とか「命をとられるわけではない」と、小さく見積もる言葉には救われます。実際、同じ出来事が起きても平然としている人はいるわけですし、どんな色をつけて考えるかは自分次第。

かつて講演で話をする際に、内容を書いた原稿を忘れたことがありました。一瞬、「なにを話せばいいのよー!?」と頭が真っ白。

でも、「まぁ、原稿を忘れたくらいでよかった。ちゃんとここに来られたし、ちゃんと話す内容は考えたんだから、なんとかなるでしょ」と自分に言い聞かせ、冷静になりました。

そのときの講演は、大まかな記憶とその場のノリで押し通し、原稿を見ながら話すときよりずっと盛り上がったのです。

これまで多くの国を旅してきましたが、旅はピンチの連続です。バスが来ない、道に迷った、泊まるホテルがない、言葉が通じない、お金が引き出せないなど、困った事態にぶつかるたびに、ジタバタしてきました。

しかし、人一倍ドジな私でも学習してくるもので、だんだん感覚が研ぎ澄まされ、ピンチに陥らない術も、ピンチを切り抜ける術もわかってくる。そうなると、旅の自由度や満足度は、さらに大きくなってくるのです。

結局のところ、困った状況にならないと、真剣に考えないし、乗り越える術も身につかないのかもしれません。人間の成長には、困ることが必要なのです。

しかし反対に、ピンチに遭遇して転落していく人がいるのも事実。飛躍するのか、ダメになってしまうのかは、ピンチをどんなふうにとらえるかが大きいでしょう。

「この程度で済んでよかった」というひと言は、事態をまっすぐ受け入れながらも、ほどほどの緊張感をもって進む力になるのです。

人間の成長には、
困ることが必要

## なにか方法はあるはず

ピンチの真っただ中にいるときは、「ピンチはチャンス！」「乗り越えられない壁はない！」などと言われても、慰めにもなりません。真っ暗闇のなかにいるような心境ですから。

「なにか方法はあるはず」という言葉は、白血病を経験した友人が言っていたもの。私も意識して使ってきました。

彼女は四十年近くのキャリアをもつアナウンサーで、二十代のころと声が変わらない印象。「努力がすごい」と称えると、「努力ではなくて知恵よ」とにっこり。病気のために声質が変わりそうになったときは、「いくつかの方法がダメでも、なんとか自分なりの方法を見つけて、声を維持してきた」と言います。

人生に起きた一大事に、肩の力を抜いて、やわらかく対処している姿が、ほんとうにかっこよく思えたのです。

どんなに慎重に生きていても、人生にはピンチが起こります。病気、事故、災害、人間関係、仕事、お金……。

そんなとき私たちは、「どうしてこうなったのか」「私のなにが悪いのか」「いや、○○のせいだ」などと、原因を追究してしまいがちですが、それでは、後悔や不安、嫌悪感などの感情にとらわれてしまいます。

「どうして？」ではなく、「どうしたら？」と、とことん現実的に解決策を考えることで、感情をわきに置いて、危機から脱することができるのです。

## 希望を持ち続ければ、道は開ける

いまから十数年前、私はひとつのピンチに陥っていました。「書く仕事をしたい」と地方から東京に出てきたものの、ときどき週刊誌のライターの仕事が入るだけ。

すぐに貯金も底をつき、テレアポ、居酒屋、宅配便の仕分け作業……と単発の仕事を掛け持ちしていました。

ライターとしての稼ぎは、ひと月、数万円。貧困のうえに体もボロボロで「なんとかここから脱する方法はないのか」と考え続け、思いついた策が、本を書くことでした。

そして、なんとかそのチャンスにたどり着いたとき、編集者から言われたのは「このデビュー作が売れなかったら、二冊目はありませんから」という言葉。「これでダメなら、もう打つ手がない」と崖っぷちに立たされた状況になりました。

思い起こせば、そのときも「本をベストセラーにして、人の役に立ち続けていく方法は、なにかあるはずだ」と、寝ても覚めても自問自答していました。

考えるのに疲れて、激安マッサージを受けているとき、ふと『働く女のルール』というタイトルが思い浮かんだときの衝撃は、今も忘れません。行きたい場所に行くための道筋がぼんやり見えてきたようでした。

「どんな人に向けて書くのか?」「どんな目次?」「どんな書き方?」と考え抜き、祈るように書いた本は、不思議な力をもって、その出版社でもっとも売れた本となりました。

「売れなくても当然」と言っていた編集者も、書店をまわって営業をしてくれました。

今、私があのときと同じ力を出そうと思っ

ても、到底、出せるものではありません。底力というものは、「そうなったらいいな」というぬるい欲求ではなく、「そうならなければ困る」と、ヒヤヒヤするような危機感から生まれるものだと実感します。

ピンチを切り抜けることは、冷静な目と熱い希望を持ち続けるということなのでしょう。

「信じたい」というより、「信じるしかない」というほどの切羽詰まった念力が、天も味方にしてくれるのかもしれません。

暗闇のなかを無我夢中で進んでいるようでも、「なにか方法があるはず」とあれこれ試しているうちに、小さな光が見えてくる。それにしがみつく。助けてくれる人が現れる。情報が集まってくる。方法が見つかる……風向きが変わり、パーッと開けてくる瞬間があるのです。

あきらめず、投げ出さずにピンチを通り抜けた先には、すがすがしい景色が待っています。そして、自分への信頼というご褒美ももらえます。そのときにやっと、自分を散々手こずらせたピンチに、「ありがとう」と感謝できるのです。


※第3回は、PHP7月増刊号(2021年5月18日発売)に掲載予定です。

連載小説

# 花は咲けども 噺せども ～人情七転び八起き～ 終

# 人間はダメでいいんだよ

立川談慶（落語家）

二つ目の落語家、山水亭錦之助は、毎日必死に高座に上がるもなぜか不運ばかり。後輩の代役で中学校での高座を引き受けたが、そこには寂しい目をした生徒がいて……。

●

鉄球がぶつかったのかと思うほどの響きが、こちらにも伝わる。閉ざされた狭い空間だからこそ余計にだ。錦之助は固唾を呑んだ。汗と吐く息の匂いが、どことなく高貴にすら感じるのは、そこはかとなく漂う鬢付け油のせいだろうか。

ここは大相撲の西木野部屋の稽古場だった。

錦之助は、元大関海童の西木野親方のマネージャーと居酒屋



イラスト：おぐらみどり　だるまイラスト：立川談慶

で隣り合わせたことがきっかけとなり、半年前から西木野部屋の東京場所での千秋楽打ち上げパーティーの司会を務めていた。

　現役時代は、「二枚目大関」として人気を博したが、いまは親方として後進の育成に励んでいる西木野は、日頃無口なのだが、シャレもわかるおおらかさを持ち合わせていて、年下の錦之助をとてもかわいがっていた。

「今度朝稽古、見においでよ」

という誘いにつられて気軽に出かけた錦之助だったが、予想を超えるあまりの真剣さに圧倒されていた。

　岩のような先輩力士に向かって何度倒されてもぶつかってゆく若い新弟子の眼差しには、覚悟しか見えない。砂のみならず時には額に血さえも混じる中で、親方から檄が飛ぶ。罵声に近い響きのはずだが、なぜか温かく感じるのは、根底に愛情があるからだろう。

　巨大な壁となって立ち尽くす兄弟子とて、まだ幕下中位なのだと知り、この世界で大関を張った西木野の凄さを、隣に居ながらも別世界のように錦之助は感じていた。そして、「お相撲さんにはどこ見て惚れた　稽古帰りの乱れ髪」「噺家さんには愛想が尽きた　稽古帰りの間抜け面」という場違いな相撲噺のマクラをこっそり暗唱した。


「たくさん食べて行ってね」

　先ほどとは打って変わって柔和な表情になった西木野が、稽古後のちゃんこ鍋を勧めてくれた。親方の脇に座らせてもらって若い衆にお給仕してもらえるVIP気分は、とても心地のいいものだ。西木野も、徒弟制度の中で、さらに上の真打ちを目指している錦之助に幾分シンパシーを感じているようで、いつもより饒舌になっている。

　そして何より力士たちが作るちゃんこ鍋や鶏の手羽先の甘辛揚げ、ポテトサラダが男の手料理ながらとても美味しい。

　錦之助はドンブリご飯をおかわりした。

「相撲の世界も落語の世界も同じだよね」


立川談慶●1965年、長野県生まれ。慶應義塾大学を卒業後、3年間の会社勤務を経て、'91年に立川談志の弟子として入門。2005年、真打ち昇進。

「いやあ、僕らあんなに厳しい稽古なんかじゃありませんよ。せいぜい長時間座っていて、足がしびれるぐらいで」

　自らを茶化すと、西木野の目がきらりと光った。

「落語家も、相撲取りもさ、稽古が仕事なのかもね。本番の取組とか高座なんて、ただの集金活動だよ」

「稽古が仕事、か」

　要するに「本番までの準備」こそ仕事だと切り替えるのがプロなのだ。そうすることで本番の高座などもリラックスして楽しめるような境地になれるとしたら、素晴らしいなあ。そう考えられたら、日々の地味な稽古にも気合いが入りそうだ……。

　図らずも寡黙な親方からいただいた金言を反芻しながらの帰り道、ふいに眠気がこみ上げてきた。まだ朝の十時だ。

　錦之助はあくびを噛み殺しながら、「家に帰ってまた寝よう」と思った。

「ダメだな、俺は」

　自嘲気味に一人ごちたその時、スマホが着信を知らせた。水沼からだった。

　朝早い時間の彼からの電話には悪い予感しかしない。

「あ、錦ちゃん、起きてた?」

　妙に浮ついたトーンは無理な頼みに決まっている。

「起きていますよ。相撲部屋の朝稽古です」

「え、落語家辞めるの?」

「そんなわけないですよ。見学ですよ」

「……だよな、また佐野がしくじってさ、俺の先輩が校長を務める中学校で落語をやってもらう仕事!　ほかの落語家さんに頼むはずの仕事をあいつ頼み忘れていてさ」

「……で、いつなんですか?」

「今日の昼過ぎから。空いているよね、相撲部屋に朝から行くくらいだから」

「……はい、どうせ暇ですから」

　水沼から指定された中学校は新興住宅街の真ん中にあった。

　一旦帰宅し、すぐに着物を用意

し、向かう。

　道中で、今日やる予定の「転失気」と「金明竹」の二席を「稽古が仕事」とばかりに繰りながらゆくと、思っていたよりは早くたどり着いたような気がした。

　体育館に設えられた「人権週間～落語から学べること」という大仰な横断幕を見るにつけ、佐野の連絡ミスの大きさを憂う。出演予定の落語家の名前は「立川朝志郎」と記されていたがそれが消され、錦之助の名前が上書きさせられていた。

（よりによって朝志郎の代演とは）

「いやあ突然なのにすみませんねえ」

　錦之助が校長室で着替えを終えると、校長自らがお茶を持って入ってきた。

「また佐野くんのドジだってねえ。さっき電話あったよ、彼から。詫びかと思ったら『忙しい朝志郎さんとは違って錦之助さんはいつも暇ですから』だって。失礼だよね」

「正直にそういうあなたも失礼ですよ」という言葉を飲み込み、

「いえいえほんと、基本いつも暇なんですよ」

と、錦之助は強がった。

「あと、実はね、今日、普段不登校の子も珍しく来てるんですよ、朝志郎さん見たさかもね」

　六十手前のようだが正直すぎる校長だ。

「どんな感じの子なんですか?」

「少し家庭環境が複雑なのと、感受性が強すぎるのかな」

　幾分ムカつく校長だが、子どもが好きそうな風情がそれを緩和させている。

「一番後ろの、髪を赤く染めた女の子です。あ、あと多少やんちゃな子もいますんで、失礼な反応をするかもしれませんが」

「大丈夫ですよ」

　錦之助は軽く頷いた。

　生徒会長らしき子の「……落語家の山水亭錦之助さんです」というたどたどしいアナウンスをきっかけに体育館に入る。

　全校生徒六百人が一斉に注目する。

　悪ガキ連中が、着物姿の錦之

助に「あれ、朝志郎じゃねえぞ！」「知らねえおっさんだ」「お、七五三みてえ！」と、冷やかしたのを受け、演台に到着するやいなや、「おかげさまで今日五歳になりました……んなわけないだろ⁉」と一言言うと、悪ガキグループ中心に笑いが起きた。先生方は制止しようと走るが錦之助にしてみればありがたい「いじり」だった。ツカミになったからだ。

一番後ろの例の赤い髪の女の子は、冷ややかにこちらを見ていた。どことなく世間にすねたような横顔だった。

「こんにちは、立川朝志郎です」というややウケネタをかましながら、前半は立ったままの状態で「落語のガイダンス」的なものをしゃべることにした。

立川談志の定義した「落語は人間の業の肯定である」をわかりやすく中学生にも届くような言い方にするにはどうすればいいだろう？　ずっとここに来るまでの電車の中で考えてきた。

「稽古が仕事、準備が仕事」

つまり、今日ここに来るまでの情報、そして先ほど校長室で校長先生と交わした短い会話からシミュレーションしてみる。

「ここの近くの駅、初めて降りましたけど、いいところですね！　何もなくて」というと先生方が手を叩いてウケている。

（あの赤い髪の子にも届きますように）

相手のために、言葉を選びながら話す。「言葉は贈り物」なのかもしれない。

そして、ふと気が付いた。

（……そっか、「業の肯定」とは、「人間はダメでいいんだよ」っていうことなのかも）

あとは、談志の論理の翻訳だった。

「落語は、人間って、ダメでいいんだよって教えてくれています。『眠くなれば寝ちゃうんだよ』『ドジなことやっちゃうものなんだよ』って。だからこれからお話しすることは、学校では絶対教えてくれないことなんです。

今日は二つの落語をしゃべります。一席目は『転失気』という、お話です。これは『誰でもついつい知ったかぶりしちゃうんだよ』という噺です。みんなの周りにもいますよね？ オトナの世界にもいるんですよ。こないだ年配の社長と飲んでいて、その人がいい人なんだけど、知ったかぶりをする人で、『King Gnu』の話題になった時に、その社長ったら、『それ、最近流行っているらしいね、俺はまだ食べたことはないけど』って言ってましたっけ」

会場全体に笑いがこぼれた。

例の女の子の目線はこちらに定まったようだった。

「……もう一つは『金明竹』という落語です。これは与太郎さんというドジなことをしちゃう人が主人公です。で、断っておきますが、落語は、一人の人間しか出てきません。僕一人で何人も演じます。だから、聞いている皆さんは、『あ、いま小僧さんが出て来て喋っているな』『いま与太郎さんの出番だな』と、想像してみてください。この想像こそが落語の一番の楽しさなんです」

直前に打ち合わせした通りに放送委員の子が出囃子CDを流す。拍手に合わせて先生方が作ってくれたであろう即席高座に着座する。

「転失気」が始まった。この落語は、和尚さんが、お医者さんから言われた「転失気」という言葉を知ったかぶりしてしまうのがミソだった。本来「転失気」は「おなら」を意味する中国の医学用語なのだが、小僧の珍念が「転失気とは、盃のことです」と嘘を教えてしまうことで笑いが起きる。

　何人かの生徒さんが、この噺のあらすじを知っているような感覚を錦之助は感じたのだが、これがまた落語の不思議な魅力で、ネタバレしていればしているほどウケが増幅するのであった。

　――翌日、医者が和尚のもとを訪れ畳みかけるかのように笑いが起きて行く。

「先生、いま自分の自慢の転失気をお見せします！」

「いや、見せなくてもいい」

「先生、遠慮しないでください！」

「いや、遠慮しますよ！」

「箱に入っています」

「は、箱に⁉」

　悪ガキ連中はゲラゲラ笑っている。彼らの笑い声が導火線となっている感じで錦之助も非常にノッて行った。

「……ついつい、お酒も飲みすぎますと周りからブーブー言われます」

　オリジナルのオチを言い終えて、後方を見やると、赤髪の子も微笑んでいるような気がした。

　一席目で反応がいいと、準備運動的に座がほぐれて、二席目もやりやすくなる。これは落語の特徴でもあった。だから前座さんが座を温めてくれていると会全体が気持ちよくなるのは、そんなせいでもある。

「金明竹」への導入もスムーズだった。

　――見ず知らずの人に与太郎が大事な傘をやってしまったのを咎めた旦那が、「今度誰かが来たら、うちにも貸し傘がありましたが、先日来の長雨で骨は骨、紙は紙でボロボロになり傘屋に預けてありますのでいま手元にありません、と断れ」と伝える。

　すると、前に住む商家の番頭が来て、「ネズミが出て困るのでお宅の猫を借りたい」という。与太郎は、旦那の受け売りで「うちにも貸し猫がありましたが先日来の長雨で骨は骨、皮は皮でボロボロでいま猫屋に預けています」などとやってしまう。呆れた旦那は「それは傘の断り方だ。猫を断るのなら、いまうちの猫はサカリがついていて、あちらこちらうろつきまわっていて大変です。マタタビを飲ませて二階で寝かしていますのでお役に立ちませんと、言え」と更なる指示を出す。

そんなところへやってきたのが、旦那とは商売上の取引のある男で、旦那さんいますかと尋ねると、

「うちの旦那はいまサカリがついていてあちらこちらうろつきまわっていて大変です。マタタビを飲ませて二階に寝かしつけています」とやったもんだから、その男は笑いをこらえて去ってゆく――。

落語の魅力は、ずばりマンネリのおかしさだろう。

「今回、そうなったということは、次回もきっと同じような流れになるだろう」という安心感が、さらに笑いを引き起こす形だ。

――その後、「金明竹」はやたらと早口の関西弁の商人が出て来て、今度は与太郎のみならずその家の女将さんまで翻弄される噺になってゆく。

――「いいえ、蛙（買わず）でございます」という古典のオチが決まると、多感な中学生たちからは口笛混じりの拍手さえ起きる大団円となった。

落語初体験の中学生は、この二席だけで完全に落語の虜になったのかもとさえ思った。

かつて自分が中学生の時に談志の「らくだ」に触れたあの感動の何百分の一くらいは伝えら

れたかなと顧みた。

そして、「小学校や中学校で落語をやる時には、絶対ウケさせなければならない。そうしないと彼ら二度と落語を聞かなくなる。落語家がつまらないのではなく、落語自体がつまらないと彼らは誤解しちまうんだよ」と、とある先輩落語家から言われたセリフを思い出した。つまり、ウケさせないと業界全体に迷惑をかけることになるのだ。


ステージから降り、今日の好感触から嬉しい手ごたえを覚えていると、丸い眼鏡をかけた小さな子と、ロングヘアの背の高い子二人の生徒会役員が花束を携えてやってきた。

「楽しい落語をありがとうございました」

錦之助が、二人を見やり、

「あ、もしかして姉妹ですか?」

と言うと小さな笑い声が起きた。顔を見合わせ戸惑う二人に、

「失礼しました。親子でしたよね」と追い打ちをかけると大爆笑になった。

さらにマイクを取る。

「本日はありがとうございました!　花束までいただけるとは。次回は札束をいただけるように頑張ります!」

笑いと拍手が同時に沸き起こった。

校長室には労をねぎらうためか、似つかわしくないショートケーキとコーヒーが置かれていた。

一時間以上語り終えると脳が糖分を要求するのか、錦之助はソファにもたれながらさりげない差配に感謝しつつ一口食べた。

「仕事の後の甘味は助かります」

校長と女性教頭も笑みを浮かべている。

「まさかゆかりさんが来るとはね」

「ゆかりさん」というのは件の赤い髪の子のようだった。

「立ち入ったことを聞きますけど、どんな感じの子なんですか?」

「両親が別れて、お母さんと二人暮らしだったんだけど、お母さんが再婚してね。で、新しいお父さんとソリが合わないみ

たいで……」

その先の反応がなかったので錦之助は黙ってイチゴをほおばることにした。

「へえ、あなたが爆笑を取るなんて信じられないなあ」

文子は優をおんぶしながら寝かしつけている。

あの日から一週間が経っていた。

「失礼だな。爆笑取ったから、駿にこんなに高い積み木を送ってくれたんだよ」

「それもそうね。キュボロのよ。アマゾンで手が出なかったもの、これ」

「でもさ、その分、ギャラにしてくれたほうがなあ」

錦之助が自棄気味につぶやくと、駿が何やら箱の奥から封筒を取り出した。

「……これ、これ」

「あ……ご祝儀だ！」

錦之助、そして文子の目が輝いた。

「粋なことをする校長先生だな、積み木の箱の中にご祝儀だなんて」

そそくさと開けてみたのだが手紙しか入っていない様子だったので、錦之助はそのまま無造作に文子に渡した。

「あなたってほんと現金な人」

「お前だって一瞬ときめいたじゃねえか」

文子は、おもむろに中から取り出した手紙を読み始めた。

「駿、パパとおうち作ろう」

「うん！」

駿と二人で、積み木で遊び始めた。

「おおきいおうち、ちいさいおうち、どっち？」

「おおきいおうち」

「よし、パパはだいくさんだ」

「わーい」

「……ねえ、あなた、これ」

先ほどとはうって変わった表情になった文子は錦之助に手紙を渡した。錦之助はそんな文子に違和感を覚える。

「ご祝儀以上の内容……落語ってすごいのね、やっぱり。その先、もう読めない。あたし落語に妬いちゃうかも」

手で涙をぬぐい、「さ、ごはん

の支度しなくちゃ」と照れ隠し気味にキッチンのほうへ向かって行った。

差出人は「木下亭」と記されていた。木下は、ゆかりの新しい父親のようだった。

「拝啓、お会いしたことのないお方に手紙を書くのは初めてです。いきなりのご無礼お許しください。どうしてもお礼がしたくなり校長先生を通じてこの積み木と共にお送りさせていただきます」

「あの夜、初めて娘とお話しすることが出来たのです。あの日娘が『今日学校で聞いた落語がとても面白かった』といきなり私に言って来ました。いくぶん戸惑う私に向かって、『知ったかぶりの人を笑う話のあらすじ』をとても楽しそうに語ってくれました。『でもね、落語って優しいんだよ。そんな人でも絶対責めたりしないんだよ』と初めて私に笑顔を見せてくれたのです。

うがった見方ですが、もしかしたら私は一人で興した会社の経営に熱中するあまり、娘に対してもついつい知ったかぶって偉そうにふるまっていたのかもしれません。

弱みを見せないで走り続けて来た私に、娘がまるで『無理しないでね』って言ってくれているかのようにすら感じました。『転失気』、肝に銘じます（笑）。

そして二席目の『金明竹』という噺の主人公の与太郎についてもストーリーを聞かせてくれて、『馬鹿なことをする与太郎さんが面白いというより、与太郎さんみたいにダメなことをしでかしてしまう人でもきちんと居場所を与えて包んでくれている落語の世界がステキ』と、目を輝かせて伝えてくれました。

主人公ではなく、そのドジな主人公の存在を許しているコミュニティを思いやる娘の優しさに、バカバカしい落語のはずなのに私は涙が止まらなくなりました。私は、これまでダメな奴はダメだと、努力しない奴は最低だとばかりに周囲にキツく当たってきたのかもと、来し方行く末を反省した次第です……」

錦之助は目をこすり上げて、読んだ。

続きは——あまりに嬉しくなったこのお父さんは、錦之助が小さな子を二人育てていることを知り、矢も楯もたまらず取引先である玩具メーカーから件の積み木を取り寄せて校長先生に渡した……という内容だった。

そして、最後は、「お父さん、いままで素直になれなくて、ごめんなさい」という娘に「お父さんこそ頭ごなしだったかもな、ごめん」とお互い謝り合い、ふと気が付くと自然と「お父さん」と呼ばれていたという微笑ましいエピソードで締めくくられていた。


涙をこぼすまいと上を向く錦之助の顔を文子は優しく覗き込んだ。

「ねえ、これって、最高のオチよね。落語って誰をも素直にさせちゃうのかもね」

「……いや、この親子は遅かれ早かれ打ち解けたはずだよ」

「何それ、妙な強がり」

「俺の落語なんかキッカケにすぎないよ」

「でも、そんなキッカケを作っちゃうんだもん、あなた、すごいじゃない！」

「そうかな」

積み木をやり続けていた駿が、泣き合いながらやり取りする二人を見て、心配そうな顔色を浮かべた。


「……パパとママ、泣いてるの？ 悲しいの？」

「駿、オトナになると嬉しい時にも泣いちゃうんだよ」

「……？」

「ねえ、あなた、今度さ、校長先生に住所聞いて、このお父さんと娘さんに、独演会のお知らせ送ったら？」

「おう、西木野親方にもな」

「うん。そんな素敵なお父さんと、感性豊かな娘さんに会いたいな。それにこの人、お金持ちさんっぽいもんね。いいお客さん、持っていそう」

「そこかよ！」

と、錦之助は強めのツッコミを文子の肩に入れると、背中で寝ていた優が驚いて泣き出した。

※この連載を書籍化した『花は咲けども 噺せども（仮）』（PHP文芸文庫）が5月13日（木）に発売予定です。

## かたーいアタマを、やわらか〜く

# パズルで脳がイキイキする！

クロスワード、まちがい探し、読み方スケルトンなど、
月刊誌『PHP』で大人気の「アタマの腕試（うでだめ）し」から
選（え）りすぐりの問題を集めました。
ぜひ挑戦（ちょうせん）してみましょう！

パズル制作・ニコリ

P.112〜115の問題の答えはP.116に掲載しています。

## できるかな？

# 読み方スケルトン

**問題** 二重枠に入った文字を、Aから順に読んでできる言葉は？

**ルール**

①リストの言葉の読み方を、かなで盤面に書きこんでください。
②書きこむ方向は「上から下」「左から右」のどちらかです。
③リストの数字は、かなで書いたときの文字数です。
④小さい「っ・ょ」などは大きい文字と同じ文字になります。

**3文字**

私信
雨天
湖畔
疑念

**4文字**

亭主
直視
後先
凝固
無趣味

**5文字**

得票
春霞
白髪葱
距離感
潮干狩

**8文字**

南半球

abcde
さくらがい

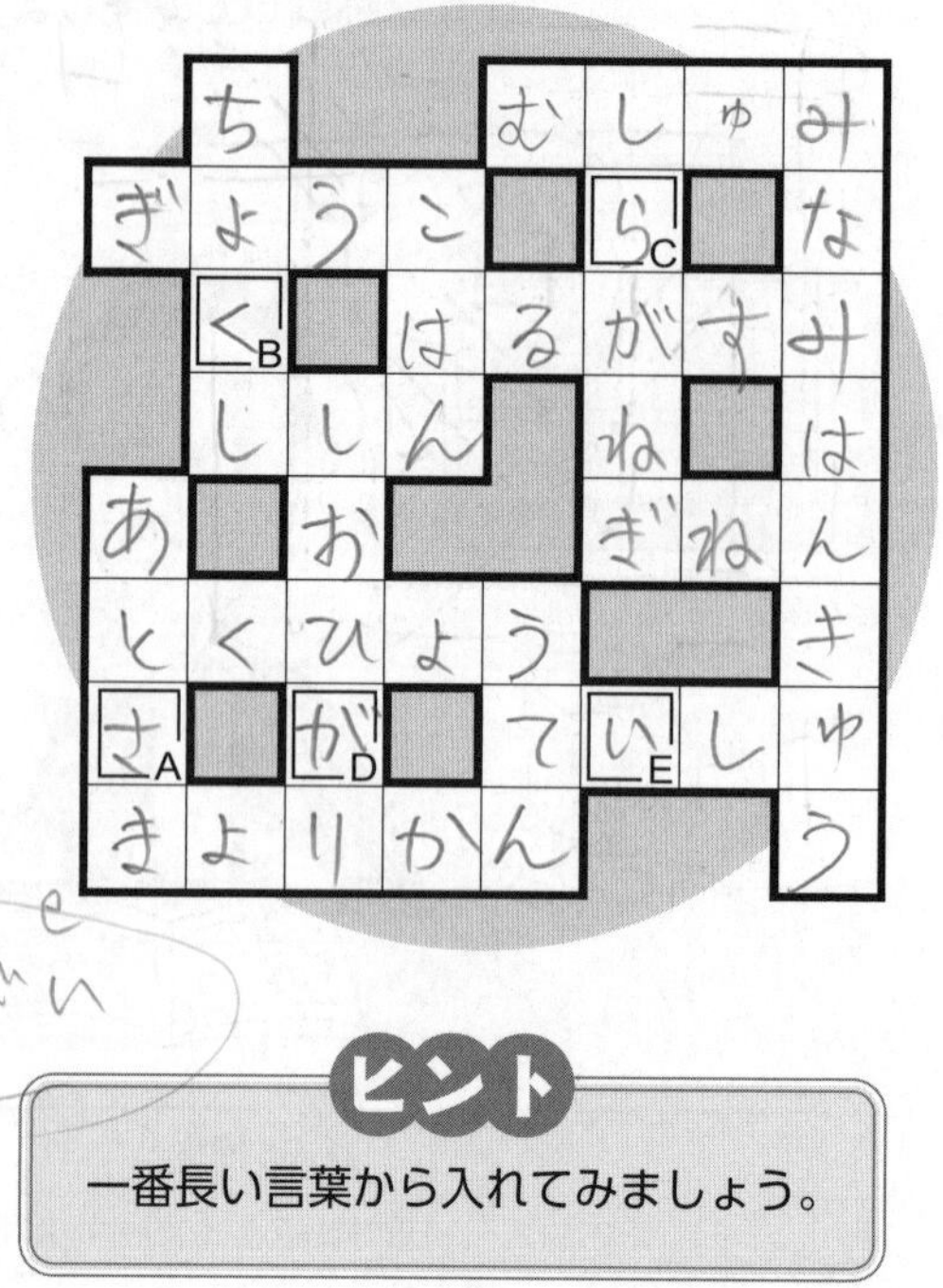

**ヒント**

一番長い言葉から入れてみましょう。

## よーく見よう！

# まちがい探し

**問題** 左の絵は、右の絵と同じに見えますが、7カ所ちがっています。ちがいがないブロックは、左の図の①～⑧のどれでしょう。

| | |
|---|---|
| ① | ② |
| ③ | ④ |
| ⑤ | ⑥ |
| ⑦ | ⑧ |

**ヒント**

見つけたものに印をつけると
分かりやすくなります。

言葉を探そう！

# シークワーズ

**問題** すべて探すと、いくつか使われない文字が残ります。残った文字を上から順に読んでできる言葉は何？

**ルール**
①リストにある言葉（童謡・唱歌のタイトル）をすべて盤面から探します。
②探す言葉はタテ・ヨコ・ナナメの8方向の一直線上に隠れています。
③一カ所の字を複数の言葉が重複して使っていることもあります。
④小さい「ョ」などは大きい「ヨ」で探します。

## リスト

- アオゲバトウトシ
- アカトンボ
- アメフリ
- オウマ
- オカアサン
- オショウガツ
- カカシ
- キシャポッポ
- サトノアキ
- ソウシュンフ
- ハト
- ハルノオガワ
- ハルガキタ
- フルサト
- ホタルノヒカリ
- ユキ

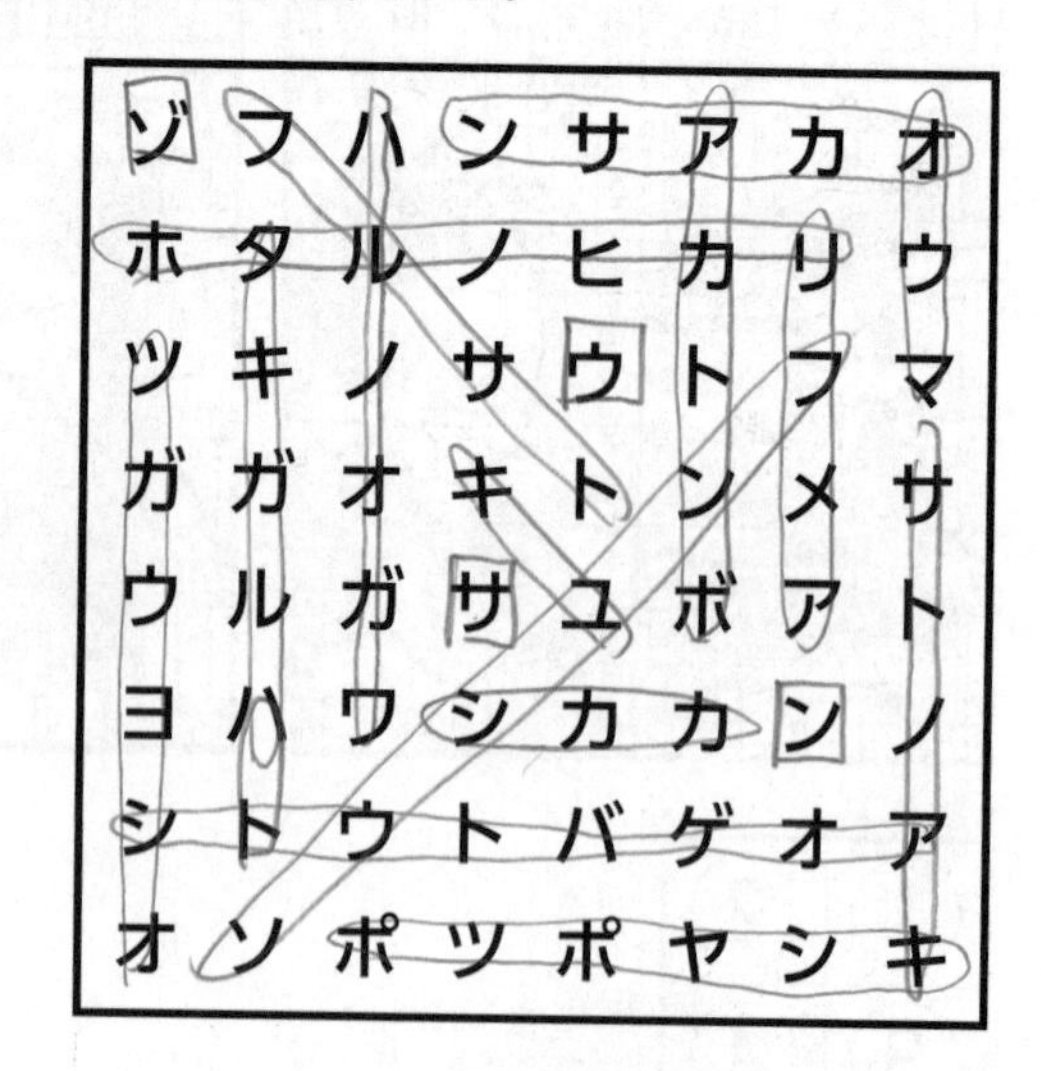

| ゾ | フ | ハ | ン | サ | ア | カ | オ |
|---|---|---|---|---|---|---|---|
| ホ | タ | ル | ノ | ヒ | カ | リ | ウ |
| ツ | キ | ノ | サ | ウ | ト | フ | マ |
| ガ | ガ | オ | キ | ト | ン | メ | サ |
| ウ | ル | ガ | サ | ユ | ボ | ア | ト |
| ヨ | ハ | ウ | シ | カ | カ | ン | ノ |
| シ | ト | ウ | ト | バ | ゲ | オ | ア |
| オ | ソ | ポ | ツ | ポ | ヤ | シ | キ |

**ヒント**
濁音に注目すると
見つけやすいです。

楽しく解こう！

# クロスワード

**問題** 二重枠に入った文字をA～Dの順に並べてできる言葉は何でしょう？

## ➡ヨコのカギ

1 朝日の昇ってくる方角

2 泊まるところ

3 何かの情報を伝えること。
転居＿＿＿ 合格＿＿＿

6 なかなか来ないのでついに＿＿＿を切らして催促した

8 IとKの間のアルファベット

10 大阪＿＿＿ 伊勢＿＿＿
ペルシャ＿＿＿

| | | | | |
|---|---|---|---|---|
| 1 | | 5 | ■ | 11 |
| | ■ | 6 A | 9 | |
| 2 D | 4 | ■ | 10 | B |
| 3 | | 7 C | ■ | |
| | ■ | 8 | | |

※小さい「ッ」などは大きい「ツ」としても使えます

## ⬇タテのカギ

1 豆腐を皿に載せて薬味を添えればできあがり？

4 議事＿＿＿ 公会＿＿＿
礼拝＿＿＿

5 ライオンのこと

7 都道府県政のトップの役職

9 オレンジ色の薄い皮に包まれた、卵形のフルーツ

11 「こよみ」ともいいます

**ヒント**

飲めばホッと一息。

何問正解できたかな？

# 答え

## P.114 シークワーズ

答え：ゾウサン

| | | | | | | | |
|---|---|---|---|---|---|---|---|
| ゾ | フ | ハ | ン | サ | ア | カ | オ |
| ホ | タ | ル | ノ | ヒ | カ | サ | ウ |
| ツ | キ | ノ | サ | ウ | ト | ク | マ |
| ガ | ガ | オ | キ | ト | ン | メ | サ |
| ウ | ル | ガ | サ | ユ | ボ | ア | ト |
| ヨ | ハ | ワ | シ | カ | カ | ン | ノ |
| シ | ト | ウ | ト | バ | ゲ | オ | ア |
| オ | ソ | ポ | ツ | ポ | ヤ | シ | キ |

## P.112 読み方スケルトン

答え：さくらがい（桜貝）

| | | | | | | | |
|---|---|---|---|---|---|---|---|
| | ち | | | む | し | ゆ | み |
| ぎ | よ | う | こ | | ら | | な |
| | く | | は | る | が | す | み |
| | し | し | ん | | ね | | は |
| あ | | お | | | ぎ | ね | ん |
| と | く | ひ | よ | う | | | き |
| さ | | が | | て | い | し | ゆ |
| き | よ | り | か | ん | | | う |

## P.115 クロスワード

答え：シンチャ（新茶）

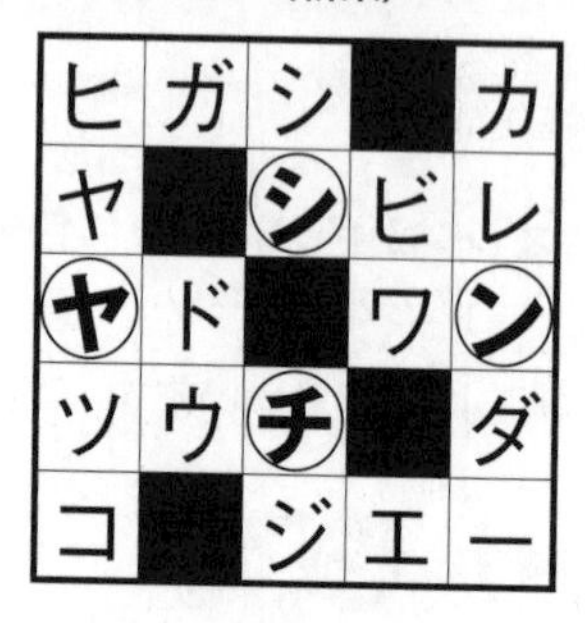

| | | | | |
|---|---|---|---|---|
| ヒ | ガ | シ | ■ | カ |
| ヤ | ■ | シ | ビ | レ |
| ヤ | ド | ■ | ワ | ン |
| ツ | ウ | チ | ■ | ダ |
| コ | ■ | ジ | エ | ー |

## P.113 まちがい探し

答え：⑦

自分の体は
自分で活かす！

巻末健康情報

# 「きくち体操」でずーっと元気！

人生百年時代と言われる昨今、「最後まで健康に過ごしたい」と思う一方で、「最近、体力が落ちてきて……」と健康に不安を抱える人も多いようです。「きくち体操」で、体を動かす大切さを実感し、元気な体にしていきましょう。

## あなたの今の体はどんな状態？

実際に鏡の前で体を動かして
次の4つの動作がどのくらいできるか、
チェックをしてみましょう!!

### きちんと立つ

体がゆらいだり、前かがみになったりしていませんか？　お腹、お尻、太ももの筋肉が弱っていると無意識にかばい、体が傾いてしまいます。

### 手を後ろで組む

体の後ろ側で、両手を組むことができますか？　猫背やひざの痛み、背中に脂肪がついていたりすると、後ろで組むのがつらくなります。

### きちんと座る

両脚を前に伸ばして、床に座ります。「長座」の姿勢です。ひざや背筋、腰が曲がっていたら、全身が弱っているサインです。

### 腕をまっすぐ上に伸ばす

肘を伸ばし、耳の後ろを通って、腕をまっすぐ上げられますか？　腕が横に広がったり、前に傾いている人は、呼吸が浅くなってきています。

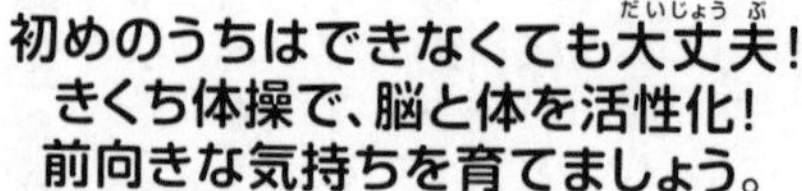

**初めのうちはできなくても大丈夫！
きくち体操で、脳と体を活性化！
前向きな気持ちを育てましょう。**

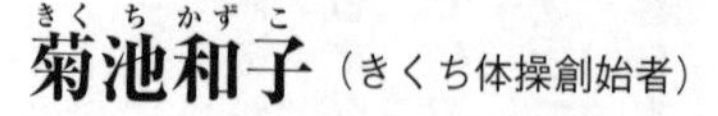


**菊池和子**（きくち体操創始者）


1934年、秋田県生まれ。日本女子体育短期大学卒業。中学校の体育教師を経て、体のメカニズムに沿った“健康に直結する動き方”を模索し、「きくち体操」を創始。川崎を本部とし、東京、神奈川の直営教室のほか、カルチャースクールなどにも教室を持つ。『死ぬまで歩ける足腰は「らくスクワット」で作りなさい』（宝島社）、『[日めくり]きくち体操』（PHP研究所）など著書多数。


取材・文：加曽利智子　イラスト：金田未生

2019年2月号掲載

# 自分の体を感じ取る能力を磨いていこう！

〝体操〟と聞いて、あなたはどんなことを思い浮かべますか？　体力増進、筋肉を鍛えるための効率的な運動、あるいは、ラジオ体操や美容体操……などでしょうか。これらの体操には、お手本があり、初めにその動きや形を教えてもらい、体を動かすものがほとんどです。

「きくち体操」は、動きや形よりも、まずは「動くことはなぜ心と体によいのか」という疑問からスタートしました。私たちの体のしくみに沿った動きを模索、実践して創始したのが、きくち体操です。

「鍛えない」「人と比べない」「上手にできなくていい」。最後まできちんと生きることができる脳と体を育て、自立した人生を送ることが目的です。

「ずっと元気でいたいけれど、体を動かすのは面倒くさい」という人もいるかもしれません。しかし、私たちは、この体以外に生きる道具はないのです。そして、その体をよくしていけるのはあなただけなのです。

健康に近道はありません。自分の体と向き合い、弱らせているところはないか、気持ちが届いていなかったところはないかなど、頭を使って感じとり、さぐりながら動かしていきましょう。

＼やってみよう！／

## 「きくち体操」をはじめる前に……
# 大切な5つのこと

きくち体操は、一般的な体操や筋トレとは違い、
「自分の体とどう向き合うか」を大事にしています。
実際に体を動かす前に理解しておきたいポイントを紹介します。

### 1 脳を使って体に意識を向ける

「動かすところに意識を向けて、じっくりと動かす」ことで、脳が活性化します。「～しながら」ではなく、よくなっていく自分を感じとりながら、気持ちをこめて丁寧に動かしましょう。

### 2 自分の目で確かめる

体を動かす際は、よくしようという思いで、しっかりと目を開き、自分で自分の体の動きを確認しましょう。

### 3 鍛えない

きくち体操では、自分の体をくまなく動かし、体が本来の働きができるようにしていきます。筋肉をがんばって無理に鍛えるのではなく、大切に育てるつもりで行ないましょう。

### 4 他人と比べない

筋肉を育てることは、人と競うものではありません。お手本と全く同じポーズになるようにこだわる必要もありません。人と比べるのではなく、自分の体に起きた変化を感じましょう。うまくできることが目的ではないのです。形や回数にとらわれず、よくしようという思いで自分の体に向きあって、動きましょう。

### 5 毎日行なって体の変化に気づく

最初は、ひとつの体操を毎日続けて、昨日と今日の自分の違いを感じとっていくのがおすすめです。次第に、筋肉の変化に気付き、自分の体の声も聞けるようになっていきます。

## 背骨を支える筋肉を育てる

背骨は体の中で唯一、脳に直接つながっている部位であり、背骨から出ている神経は内臓も働かせています。その大切な背骨を上半身で支えている、胸、背中、腕の筋肉を育てましょう。胸がしっかり開くことで、深い呼吸ができるようになります。背骨を支える筋肉を育てると同時に、筋肉を動かす刺激で背骨も育ちます。

### 1 手を後ろで組んで肩甲骨を寄せる

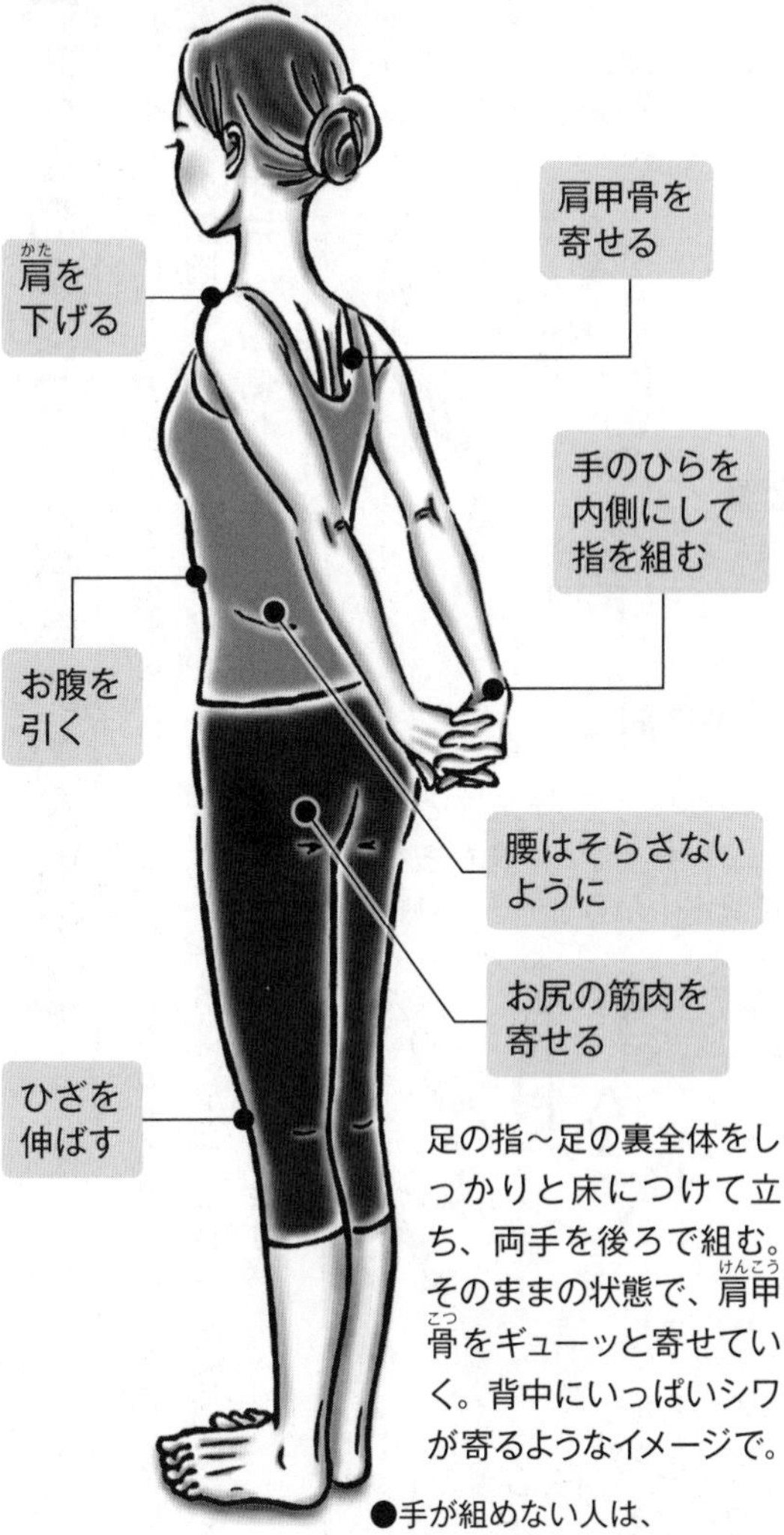

肩を下げる

肩甲骨を寄せる

手のひらを内側にして指を組む

お腹を引く

腰はそらさないように

お尻の筋肉を寄せる

ひざを伸ばす

足の指～足の裏全体をしっかりと床につけて立ち、両手を後ろで組む。そのままの状態で、肩甲骨をギューッと寄せていく。背中にいっぱいシワが寄るようなイメージで。

●手が組めない人は、タオルを持って行なってもOK。

# 呼吸を司る筋肉につながる手の力を育てる

手の指、そして手のひらからつながる腕の内側の筋肉は胸の筋肉へ、手の甲からつながる腕の外側の筋肉は、背中側への筋肉とつながっています。つまり、手の指一本一本から始まる筋肉は肋骨を支え、呼吸を司っているのです。指を意識して動かすことで、深い呼吸ができるようになります。

## 1 手の指をしっかり握る

肘を伸ばして両手を肩幅のまま、前に出す。親指を中に入れ、手の指を強く握る。指の関節が、浮き出るくらい、力を入れようと意識する。

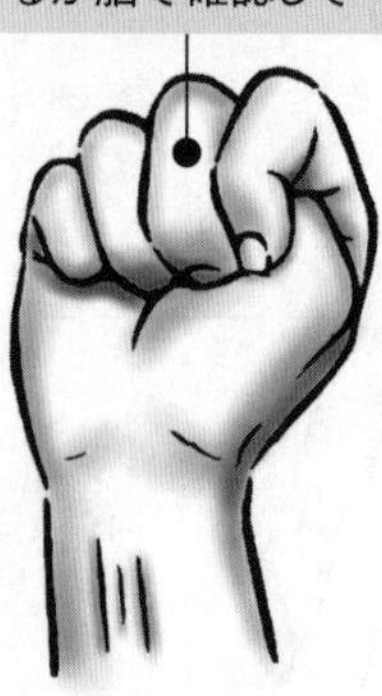


## 2 手の指をしっかり開く

すべての指1本ずつにしっかり力を入れることができたと思ったら、握っていた手を、手のひらを上に向けて、手のひらの真ん中から思いっきり開く。意識は指先に向ける。

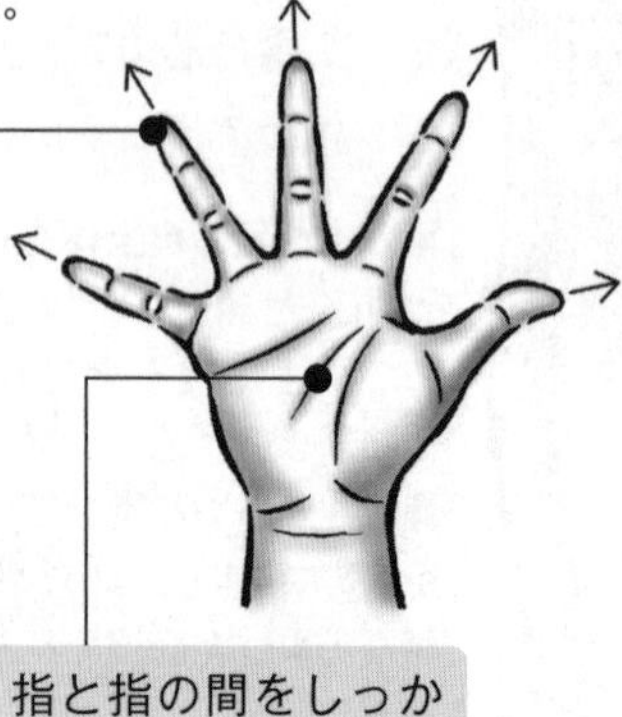

## 姿勢や内臓を支えるお腹の力をつける

全身の筋肉は、お腹の筋肉とつながっており、腹筋は体の要です。腹筋は前側から体を支えているため、腹筋が弱ると姿勢が悪くなっていきます。

お腹の筋肉を意識しながら、ふくらませたり、へこませたりすることで、腹筋はもちろん全身の筋肉も育ちます。

### 1 お腹をへこませて、5つ数える

あお向けに寝て、両手でお腹を押さえる。腰を床に押し付けるようにしながら、思いっきりお腹をへこませる。

呼吸は止めないで自然に

腰は床にピターッとつけて

### 2 お腹をふくらませて、5つ数える

これ以上は無理というくらい思いっきりお腹をへこませたことを十分に感じたら、お腹をグーッとふくらませる。

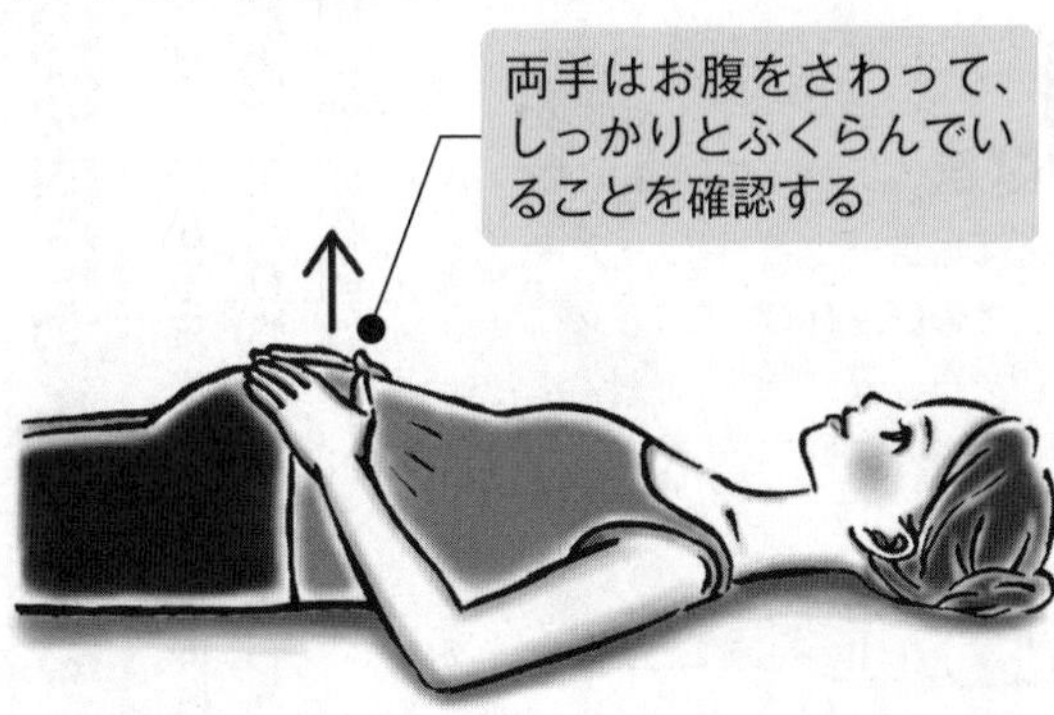

# ひざ･腰の痛みの原因となる、もも･ひざの裏の筋肉に力をつける

ひざの関節を支え・動かす筋肉に力があれば、「立つ」「座る」「歩く」がスムーズにできます。ところが、ひざの裏の筋肉は意識して伸ばさないと、縮んだまま弱って、関節が動きにくくなり、腰も曲がります。ひざを伸ばすのはももの筋肉です。ひざを支えるももとひざの裏の筋肉に意識を向けましょう。

## 1 長座の姿勢で座る

両脚を前に伸ばして、床に座る。左右のひざのお皿に、それぞれ左右の手を置き、ひざのお皿のまわりをよく触り意識を向ける。

太ももの前側、後ろ側、ひざのまわりを触り、自分の脚にしっかりした筋肉があるかを確認して

## 2 片方の脚をまっすぐに上げる

背筋を伸ばし、片方の脚を床から少し持ち上げる。ももの筋肉の力で、ひざの裏を伸ばすことを十分に意識したら、ゆっくりと脚を下ろす。

## 3 ひざの裏をグーッと伸ばす

続けて、ひざの裏側を床にピターッとつけようと意識する。ひざの裏が伸びていることを十分に感じたら、元に戻す。②③ともに、反対側の脚も同様に。

## 全身を支え、しっかり歩ける力を育てる

足の指の筋肉は、裏側はかかとから足首になり、アキレス腱、ひざの裏、お尻、腰へと全身に、甲側も指の筋肉が足首になり、そのまま脚の筋肉になり、全身の筋肉につながっています。そのため、足の指の筋肉が弱れば、体全体が弱ることに。ずっと自分の足で歩くためにも、しっかりした足の指にしておきましょう。

### 1 長座の姿勢で、右足を左の太ももにのせる

両脚を前に伸ばして、床に座り、右足を、左の太ももにのせる。

### 2 足の指と手の指を組む

足の指の付け根までしっかり手の指を入れて

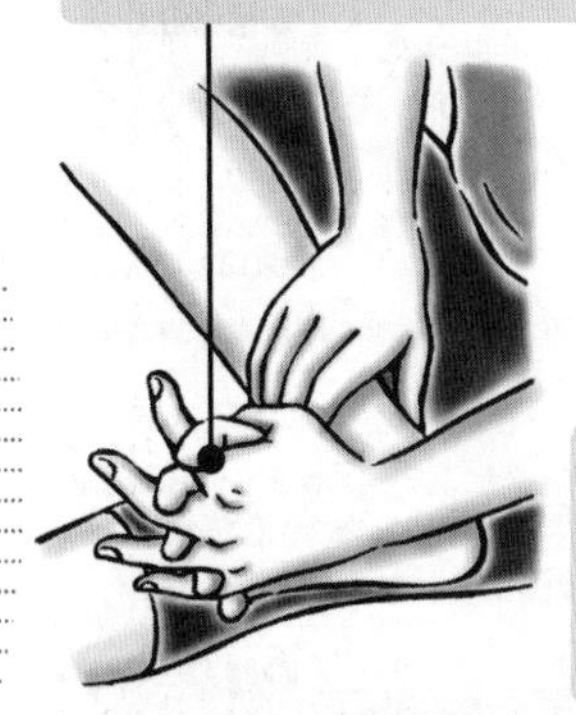

右足首を曲げ、右足の裏と左手のひらをしっかりと合わせて、足の指の間に左手の指を１本ずつ入れていく。それぞれの指の付け根まで深く入れる。

最初は痛みを感じてもあきらめないで少しずつ行なうと力がついていきます

### 3 足の指と手の指で握りあう

右足の指と、左手の指で、ギューッと握りあう。反対側の足と手も同様に。

足の親指から小指までしっかりと力を入れ、遊んでいる指がないか、目でもよく確認して

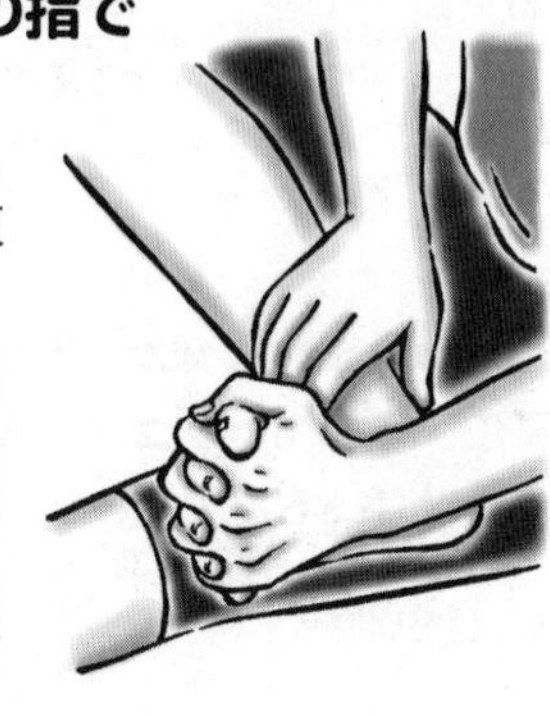

# PHP増刊号の仲間たちをご紹介！

現在、ＰＨＰ増刊号には、下記のような種類があります。
その仲間たちをご紹介します。

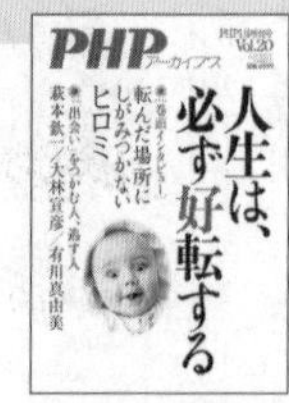

2021年1月増刊号

## PHPアーカイブス（B6判）

1970年ごろから2000年ごろまでの『ＰＨＰ』誌に掲載された記事を盛り込み、再編集しました。いま読んでも色あせない内容を厳選して掲載し、懐かしさも感じられる内容になっています。

## PHPエクセレント（B5判）

Ｂ5判という大きいサイズで、『ＰＨＰ』誌に掲載されたインタビューやエッセイを再編集しました。イラストや図版などを多用し、お得感を感じてもらえる内容になっています。

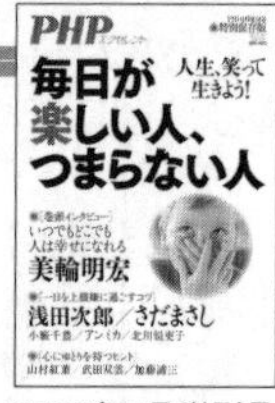

2020年4月増刊号

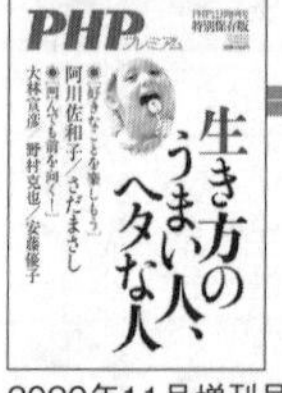

2020年11月増刊号

## PHPプレミアム（B6判）

『ＰＨＰ』誌に掲載された著名人のインタビュー記事を中心に再編集しました。人生の達人による、日々の糧となる言葉を厳選し、プレミアム感あふれる内容になっています。

## PHP health （B6判）

『ＰＨＰ』誌に掲載された、心とからだの疲れをとる専門家の記事やエッセイを中心に再編集しました。読むと元気が出る、疲れがスーッと消えていく、「疲労回復読本」です。

2020年9月増刊号

2021年3月増刊号

## PHPマイベストフォーチュン（B6判）

『ＰＨＰ』誌に掲載された、「いいこと」や「幸運」についての記事やエッセイを厳選し、再編集しました。日常の運をアップさせていく秘訣が満載の内容となっています。

# 愛読者プレゼント

**アンケートにお答えいただいた方のなかから、**
**下記をプレゼントします。奮(ふる)ってご応募(おうぼ)ください。**

**5名様**

**月刊誌『PHP』の**
**人気連載が書籍化！**

『京都祇園もも吉庵の
あまから帖（3）』
志賀内泰弘 著（PHP文芸文庫）

**10名様**

図書カード
500円分

---

**Q1** 増刊号『「どん底」でも折れない人、しなやかな人』でよかった記事とご感想。（複数回答可）

**Q2** あなたが、今、「この人の話が聞きたい！」と思う人物を教えてください

**Q3** 郵便番号・住所・氏名・年齢・性別・職業・電話番号

**Q4** 応募コース

**応募方法**

**応募のきまり：** ハガキの裏に上記の必要事項を記入のうえ、
お送りください。

**宛先：** 〒601-8411　京都市南区西九条北ノ内町11
PHP 編集部　増刊号アンケート５係

**締め切り：** 2021年5月16日（日）消印有効

＊なお、当選者の発表はプレゼントの発送をもってかえさせていただきます。

**●個人情報の取り扱いについて**
本誌にお寄せいただいた個人情報は、当社の「個人情報管理規定」に従い厳重に管理し、応募者への連絡、読者統計の作成に利用させていただきます。また、寄せられたご意見、ご感想などを本誌の広告・宣伝等に利用させていただくことがあります。その場合は必ず匿名とし、お名前・住所等の個人情報は公開いたしません。［問い合わせ先］PHP編集部　電話075-681-6356

## 次号案内（次号もおもしろくて、ためになる！）

**PHP** アーカイブス 7月増刊号
5月18日発売予定　定価490円（税込）

特集
# 前を向いて生きる

好評連載
有川真由美のひと言の力

※タイトル・内容の一部が変更になる場合がございます。


●編集長　大谷泰志

●編集スタッフ
桑田和也／水野由貴
伊東茉利奈／小串環奈

●普及スタッフ
石田賢司／川浪光治
川本佑斉／西岡拓真
小塚大洋／常川一創
下宮康平／秋山　聡
河崎　亮／枦木善隆
仲谷誠弘／佐藤　旬

●編集協力スタッフ
社納葉子／林　加愛
ワード


◎再録記事の本文・肩書きおよび年齢については基本的に掲載時のままです。

◎プロフィールは現時点のものを掲載しています。

ホームページで最新情報をご紹介！　https://www.php.co.jp/php/

**PHP** 4月号 好評発売中
定価220円（税込）

特集
# 心がぐーんと強くなる小さな習慣

インタビュー　辛坊治郎
エッセイ　川島如恵留
川上弘美
いい言葉、いい人生　宮本亞門

## こちら編集部です

「ゆっくりと一歩」という里見浩太朗さん（6頁）の言葉が心に沁みました。昔から徒競走が大の苦手で、今も周りのスピードに押されっぱなしの私。こんなにのろのろと生きていて大丈夫だろうかと凹むこともありますが、遅くとも止まりさえしなければ、前に進んでいけるんですね。自分の速度で「ゆっくりと一歩」、踏み出していきたいと思います。（串）